꽃보다 할배, 할매 미국 서부 여행기

꽃보다 할배, 할매 미국 서부 여행기

발　행 | 2019년 2월 20일
저　자 | 신민규
펴낸이 | 한건희
펴낸곳 | 주식회사 부크크
출판사등록 | 2014.07.15.(제2014-16호)
주　소 | 경기도 부천시 원미구 춘의동 202 춘의테크노파크2단지 202동 1306호
전　화 | 1670-8316
이메일 | info@bookk.co.kr

ISBN | 979-11-272-6322-5

꽃보다 할배 할매서부여행기

신민규 지음

CONTENT

〈 프롤로그 〉

 드디어 내일, 2017년 12월 30일 토요일 9시 30분이면 미국으로 떠난다. 하지만 왠지 마음이 조마조마하다. 아이들 방학식을 마치고 홀가분한 마음으로 내 마음은 미국행 비행기에 이미 탑승한 거 같았지만 교무실에서 걸려온 한 통의 전화가 즉시 나의 정신을 현실로 돌려보냈다.

 우리 학교 실버 교통봉사단체에 보내져야 할 지원금이 다른 학교로 가게 되었고, 우리 학교에 배치된 교통 봉사 단체 회원들의 현황을 어서 파악하여 지급액이 얼마나 되는지를 알아본 후 급히 공문을 보내야 한단다. 사실 지금 생각해 보면 아무것도 아닌 일이지만 그때는 왜 이리 떨렸을까?
 공문을 처리하면서도 '내가 미국 가 있는 동안에 이런 일들이 한 건도 안 일어나리라는 보장이 없는데... 급히 돌아올 수도 있을까?' 라는 고민이 스쳤다.

 사실 그날 계획은 점심을 먹고 바로 조퇴를 한 뒤 서울 동생네 집으로 어서 가서 미리 와 계시는 부모님, 동생네 가족들과 성대한 2017년 송별회를 가질 예정이었다. 그러면서 미국으로 떠나는 자랑을 실컷 늘어놓을 생각이었는데... 하지만 조퇴는 고사하고 정시 퇴근도 어려워 보였다. 2018년 우리학교 전입 희망교사 면접과 신입생 가입학식을 위한 준비가 기다리고 있었다. 우여곡절 끝에 모든 일을 마치니 보통 퇴근 시간보다 약간 일찍 학교를 나올 수 있었다. 매일 마다 진해에서 진주까지 먼 길을 통근 하는 성실한 동기의 차를 얻어 타고 터미널에 도착하니 출발 5분전의 서울행 버스를 잡을 수 있었다.

'이제 드디어 떠나는 구나' 안심을 하며 가방에 지갑을 넣는 순간 머리에서 쥐가 났다. 아뿔싸! 우리 반 열쇠가 들어있는 것이었다.
 앞을 보니 기사님께서 표 검사를 하고 있었다. 머리가 하얘지는 기분이 오랜만에 느껴졌다. 배를 움켜쥐고 최대한 불편한 기색으로 "기사님! 지금 너무 급한데 빨리 화장실 다녀와도 될까요? 라고 물으니 예상 밖의 답을 하셨다. "네, 얼른 갔다 오이소."

 일단 밖을 나와 매표소로 가서 열쇠를 맡기고자 한다니 완곡히 사양 하셨다. 기사님께 내 모습을 숨기기 위해 최대한 몸을 낮추고 맞은편 조그만 가게로 들어가서 최대한 도움을 바라는 불쌍한 표정을 지으며 말했다. 지금 누가 열쇠를 찾아온다고 거짓말을 하며 잠깐만 맡아 달라고 간곡히 부탁을 드렸다. "알았다"는 대답을 듣고서는 도망치듯 버스로 들어왔다.

나 때문에 기다린 승객들은 붉은 레이저 빛을 쏘아 댔지만 내 얼굴엔 보름달 같은 함박웃음을 참을 수 없었다.

　준비 끝!
　드디어 내일 떠나는구나.
　기다려라 L.A!

제 1화 어색한 만남

LA는 우리나라보다 16시간이 느리다. 2017년 12월 30일 오전 10시 드디어 미국에 도착하였다. 입국 심사가 까다로워 걱정을 많이 하였지만 부모님을 모시고 여행을 왔다는 말에 멋진 시간을 부모님과 보내라는 덕담으로 수월하게 통과하였다. 숙부는 한눈에 우리를 알아보셨는지 어안이 벙벙해 갈피를 못 잡고 있던 우리에게 다가와 악수를 청하셨다. 첫 만남은 무척 어색했다. 97년 대학교 1학년 때 숙부의 초청으로 미국을 방문하여 한 달을 지낸 적이 있는 나와는 구면이지만(그로부터 20년이 지났다), 어머니와는 초면이고 아버지와도 60여년 정도를 못 뵙다가 몇 년 전에 문중일로 잠시 한국에 나왔을 때 두 분이 오랜만에 만나 뵙고 처음 뵙는 것이었다. 픽업을 위해 멀리 라스베가스에서 사업을 하시는 장남도 같이 오셨다. 짧은 인사를 뒤로 하고 차량에 산더미 같은 짐을 신고, 숙부댁으로 이동했다. 한국은 무척 추웠지만 LA는 우리의 초여름 정도의 날씨였다. 내리쬐지는 않지만 선선한 바람과 함께 따뜻한 햇살이 우리의 기분을 고조시켰고 여기저기에서 들려오는 웃음소리와 영어에 더욱 흥분되었다. 집에 오니 숙모님이 반갑게 맞아주셨다. 숙부님은 많이 안 변하신 거 같은데 숙모님은 세월의 흐름이 얼굴에 많이 묻어 있어 가슴이 살짝 아팠다.

설 전날 잔칫집에서 풍기는 냄새가 났다. 어머니도 어서 짐짝을 열고 자신이 손수 가져온 젓갈, 오징어, 장아찌, 고추장, 된장, 갓김치, 배추김치 들을 연신 소개하며 자랑하셨다. 거실 가운데 한 켠에 놓여진 대형 TV에서 한국 드라마가 나오고 있었고 한인들이 사는 아파트 인지라 가끔 베란다 쪽에선 한국말도 들렸다. 한국에서 사가지고 간 미국 유심카드가 1월 5일부터 되도록 신청을 해놓은 바람에 한국에 남아있는 아내에게 메시지를 전할 수 없어 안타까운 마음이 들었다. 하지만 참지 못하고 국제전화를 하였다. 옆에서 "아빠!"하고 말하는 아이들의 목소리에 이내 울컥하였다. 부모님과 숙부내외는 한 잔 두 잔 걸치시며 친했진 듯 많은 이야기를 나누셨다. 나는 굉장히 피곤하였지만 정신이 너무 말짱했다.

배가 부르고 긴장이 풀리면서 이젠 나의 역할이 부담으로 느껴지기 시작했다. 짐꾼 겸 가이드 인 것이다. 사실 한국에 있을 때는 연말이 되자 밀려오는 일거리들로 여행 계획을 제대로 잡을 수가 없이 큰 그림만 그리고 오게 되었다. 떠나는 사흘 전에 동네 도서관에서 미국여행 도서를 한 권 빌려서 왔다. 믿을 건 이 책 한 권 뿐 이었고 노부부가 사는 이 집에 Wifi가 있을 리 없었다. 큰 맘 먹고 온 해외여행이거니와 옆에는 부모님까지 계시니 당장 내일부터 어찌 해야 할지 잠이 오지 않았다. 동네가 매우 조용하여 놀라웠다. 머리도 식힐 겸 동네를 한번 둘러보러 나가려 하자, 숙부께서 한사코 말리셨다. 예전에 살던 동네는 부촌이라 치안이 걱정이 없었는데 지금 여기는 치안이 위험하다고 말리셨다. 너무 아쉬운 표정을 내가 지었는지 잠시 후 그럼 다 같이 나가보자고 하셨다. 노부부가 자주 가는 마트가 있는데 구경 가자고 하셨다. 나라가 커서 그런지 해가 지는 석양이 무척이나 아름다웠고 글로 설명하기에 심오한 그림이었다. 마치 주황 그라데이션 바탕에 하얀색 솜사탕들이 넓게 퍼져있었다. 아주 아주 넓게.....

마트는 한인이 운영하는 곳이어서 한국 사람들이 많았다. 외형적인 모습은 한국인이 맞고 말로 한국말을 하는데 스타일이 조금은 달라보였다. 우리 가족이 들어오자 한국에서 온 한국인인 것이 티가 나는지 우리들을 유심히 보는 사람들이 많았다. 내일은 명절이니 탕국을 먹자고 하여 그에 맞는 식재료를 사왔다. 돌아오는 길에 보니 한의원, 치과, 내과, 변호사 사무소, 교회들이 많았고 수선집도 있었고 아귀집, 고깃집 등 한식당들도 많았다. 내가 미국에 온 건지 실감이 나지 않았다. 약간 우리보단 세련되지 못한 느낌이 들었다. 그렇게 첫날은 여독을 풀기위해 일찍 잠자리에 들었다. 하지만 바뀐 환경 탓에 잠은 쉽사리 들지 않았고 전화도 안 되는 폰이지만 이어폰을 끼워 밤새도록 음악을 들으며 누워만 있었다. 내 잠자리는 거실이었다. 노인들이 계시다 보니 중간 중간에 화장실을 가는 분들이 있어서 잠들기가 더욱 어려웠다.

 다음 날 새벽 5시 무렵에 누군가가 불을 켰다. 숙부님이었다. 숙부님은 새벽에 헬스를 가신다고 한다. 그게 벌써 40년이 되셨나? 이제는 알람이 없어도 몸이 알아서 깨신다고 한다. 습관의 위대함을 또 한 번 느끼는 순간이었다. LA에서도 알아주는 헬스장에 연 회원으로 있다는 숙부님은 나도 같이 가겠냐고 제안을 하셔서 흔쾌히 따라 나섰다. 숙부님은 조카의 대동이 든든하고 기분이 좋으신지 연신 휘파람을 부셨다. 멋진 벤츠를 타고 헬스장에 갔다. 너무 일찍 온 탓에 아직 준비 중이었다. 몇몇 사람들도 우리처럼 기다리고 있었다. 잠시 후 문이 열리고 숙부님의 유창한 영어로 일일회원이 되어 나도 입장을 하였다. 헬스장의 규모에 눈이 휘둥그레졌다. 스텝만 100여명정도가 되고 축구장 한 3배정도의 크기에 한 켠에는 실내 농구장과 스쿼시장이 있었고 한 켠에는 복싱장과 100개정도의 샌드백이 달려있었다. 중앙으로는 무수히 많은 헬스 장비들이 갖춰져 있었고, 한 켠에는 러닝머신, 어설트 바이크, 로잉머신, 스키와 같은 각종 유산소 운동 기구들이 즐비해 있었다.

하루 동안에도 다 이용을 못할 거 같았다. 탈의실의 규모도 어마어 마했다. 그리고 지하에는 온천탕과 수영장이 있었다. 나는 수영복을 준비해갔기 때문에 헬스를 뒤로하고 지하에 있는 수영장으로 내려갔다. 새벽인지라 수영장에는 사람들이 많이 없어서 좋았다. 한국에서도 주기적으로 수영장을 가는 나는 내 수영 실력을 뽐내보고 싶은 마음이 들어 빨리 물로 뛰어들었다. 아직 시차 적응이 안 되고, 어제 한 시간도 못잔 탓에 몸이 무척 무거웠다. 몸이 천근만근처럼 느껴져 한번 가고 나면 지쳐 가쁜 숨을 몰아쉬었다. 같은 레인에 있던 내 또래의 남자가 턴 할 때마다 미국인 특유의 가벼운 눈웃음을 지으며 '나도 엄청 힘드네.'하며 말하는 듯 했다. 잠깐 내가 한국에서 이런 행동을 하면 상대방은 어떻게 받아들일까? 하는 생각이 들었다.

잠시 후 동양인 아주머니 한 분이 들어왔다. 그 분도 내가 반가운지 가벼운 인사를 건네셨다. 나는 순간 '이때다' 하는 것을 느꼈다. 지금까지 영어다운 영어를 한 번도 써보지 못했기 때문에 지금껏 갈고 닦은 영어 실력을 발휘하고 싶었다. 그래서 그간의 일들을 꾸역꾸역 뱉어내었다. 그 아주머니는 일본 출신 미국인이었고 LA에서는 에이전시 일을 하고 있단다. 작년 가을에 부산을 여고 동창들과 방문했다고 한다. 나의 영어를 교정해주며 지금도 기억하지만 항공 시차 증후군에 해당하는 영어단어인 'Jet lag'와 'get used to'를 사용하여 말하라고 하신 것이 아직도 생생하다. 그 분과의 이야기로 나의 수영은 잠시 쉬게 되었고, 저 멀리 숙부께서 다가오시는 것을 보고 헤어졌다. 헬스장을 나와서는 근처의 맥도널드로 향했다. 숙부, 숙모님은 당뇨를 앓고 계셔서 탄수화물과 당을 제한하기 위해 오래전부터 아침식사는 밥 대신 빵으로 대체하셨다고 한다. 우리는 맥도날드에서 모닝세트와 커피를 5인분 사서 집으로 갔다. 천생 한국인이신 부모님은 조식 햄버거에 난색을 표하셨고, 내가 3인분을 먹어치웠다. 오랜만에 먹어보는 햄버거는 꿀맛이었고 숙부님 내외가 조금은 미국인다워 보였다.

1월 2일에 LA City Sightseeing BUS Tour 프로그램을 잡아놓은 거 빼고는 일정이 없어서 그 다음날인 1월 1일 설날까지는 그냥 집에서 TV보고, 맥주 한잔 하고 책보며 여행계획을 세우는 거밖에는 특별한 일이 없었다. 특히나 기억나는 것은 12월 31일 밤이었다. 우리나라에서는 한 해의 마지막 밤에 재야의 종 타종행사가 있는 것에 반해 미국은 불꽃놀이를 하였다. 몇 시간동안 밤하늘을 대낮같이 밝게 폭죽과 불꽃이 불을 뿜었다. 간간히 사람들의 함성소리도 들렸다. 동네에서도 집집마다 폭죽을 터트리는 소리가 시끄럽게 들렸다. 특별한 날이니 만큼 시끄러워도 다들 이해해주는 것 같았다. 하도 총기사고가 빈번히 일어나는 곳이니만큼 총기사고가 아닌가 하고 처음에는 놀랐다.

이곳은 신년맞이 축제를 어떻게 하는지 궁금하여 몰래 나가볼 생각을 하였지만 숙부님의 당부가 생각나 창밖에 쭈그리고 앉아 관람하는 수밖에 도리가 없었다.

그렇게 2017년 마지막 밤이 흘러갔다.

제2화 LA시내 버스투어

드디어 1월 2일이 되었다. 오늘부터 진정한 짐꾼 역할이 시작된 것이다. 한국에서 신청한 LA Hop&Hop 버스 티켓을 단단히 챙기고 비장한 마음으로 길을 나섰다. 몸소 약속 장소인 헐리우드 Chinese Theater까지 데려다 주지 못하는 미안한 마음을 대신하여 숙부님은 택시를 불러주셨다. 원래 일정은 9시까지 모이는 것이었지만 10시 반부터 시작한다는 말에 어머니는 근처 스타벅스에서 아메리카노를 즐기셨고 아버지와는 근처를 둘러보고, 10시에 다시 만나기로 했다. 아버지와 할리우드를 좀 걷고 있으니 젊은 남녀 둘이가 다가와 반갑게 인사를 나눈 후 대뜸 CD 한 장을 건네더니 사인을 해 주었다. 그리고는 50불을 달라는 게 아닌가! 이런 도둑놈이 어디 있는가! 얼굴이라도 도둑같이 생겼다면 미리 피했을 것을.. 됐다고 뿌리치니 끝까지 따라오고 길거리에서 실랑이가 벌어지고 영어로 속사포 랩을 쏘아 됐다. 스타일이 너무 구겨지기고, 상황을 잘 모르시는 아버지는 옆에서 빙그레 웃고만 계셨다. 그래서 다 줄 수는 없고 아버지 10불, 나 10불 줄 테니 CD 한 장을 더 달라고 했다. 그랬더니 흔쾌히 알았다고 하고는 미국인 특유의 느끼한 웃음을 보여주며 엄청 친한 척을 해댔다. 그리고 헤어졌더니 이번에는 어벤져스 분장을 한 사람이 또 옛 친구처럼 다가오더니 아버지와 사진을 함께 찍자고 했다. 한 번 데이고 내가 또 데일까? 여기 있는 미국사람들은 다 사기꾼으로 보였다. 이번에는 응대도 안하고 아버지 팔을 잡아끌고 벗어 나왔다. 뭐라 뭐라 영어로 나를 욕하는 소리가 들리는 듯 했다. 나중에 알고 보니 이 어벤져스 분장한 작자도 아까 CD팔이와 똑같은 부류였다. 미국인들은 이들의 행술을 이미 잘 알고 있다는 듯이 대꾸를 안 해 주었지만 다른 나라 여행객들은 이들과 실랑이를 벌이고 있었다.

며칠 동안의 만찬으로 지방으로 가득한 배를 부여잡고 아버지와 나는 이런저런 얘기를 나누며 헐리우드 주위를 산책 하였다. 그리고 드디어 첫 미국여행을 시작하였다. 빨간 2층 버스였는데 우리는 2층을 선택하여 앉았다. 안내원에게 받은 이어폰을 연결하니 버스가 이동하면서 주위를 자세하게 한국어로 설명을 해주었다. Los Angeles bus tour는 총 6개의 노선으로 구성되어 있고 각 노선은 연결되어 있어서 한 노선을 탔다가 내려서 다른 노선을 갈아탈 수도 있고, 좋아하는 목적지에서 내려서 구경을 하였다가 뒤에 오는 버스를 타고 올 수도 있는 편리한 시스템이었다. 우리는 LA시내를 가로지르며 이곳 저곳의 역사와 문화에 대한 이야기를 들을 수 있었다. 중간에 베버리힐즈에서 내려 정말 부자는 어떠한 것인지를 간접적으로나마 느낄 수가 있었다. 여러 영화에서 나오는 장면들이 곳곳에서 보이고 여유로운 그들의 일상이 머나먼 세계처럼 느껴졌다. 잠시 후 뒤에 오는 다른 노선의 버스를 타고 멀리 바닷가로 나가 보기로 했다.

이번 여행에서 꼭 가보고 싶었던 곳 중에 한 곳인 바로 산타모니카 해변! '해상 구조대'라는 오래된 영화의 촬영지였단다. 벌써 인산인해로 정신을 바짝 차리지 않으면 일행을 놓치기 십상이었다. 날씨도 너무 좋았지만 시원한 바람 때문인지 바다에서 노는 사람들은 극히 일부였다. 부둣가에는 다양한 볼거리가 넘쳤다. 서커스 공연, 버스킹 하는 사람, 미술 하는 사람, 마술하는 사람, 연설하는 사람, 시위하는 사람 등 그리고 세계 최초의 퍼시픽 파크도 있었다.

따뜻한 날씨 탓에 미국 각지에서 몰려드는 홈리스들 때문에 미관이 좀 좋지 않은 곳도 있었지만 한국의 한겨울에 있다가 탁 트인 시원한 바닷바람을 맞을 수 있어서 기분이 너무 상쾌했다. 부모님도 자유로운 분위기 탓에 한국에서 안 하고 다니시던 팔짱을 꼭 끼고 다니셨다.

길거리 음식은 싫고 식당에 가서 국물요리(?)를 먹자고 하셔서 동남아시아 식당에 들어갔다. 쌀국수와 함께 한국에서는 볼 수 없었던 면류와 볶음밥을 시켰다. 맛있게 잘 드시는 모습이 좋았다. 나중에 계산을 하니 인당 25,000원정도가 나온 것을 보고 기겁을 하시며 웬만하면 식당에서 사먹지 말자고 하셨다. 그리고 팁을 추가해서 계산하는 걸 보신 어머니는 자신의 말을 굳게 지키리라 다짐을 하신 듯 보였다. 어느 덧 뉘엿뉘엿 해가 지는 모습이 아름다웠다. 퇴근 시간과 맞물려 뒤에 오는 버스가 예정보다 늦게 도착하였지만 지는 석양을 구경하느라 지루하지도 짜증나지도 않았다.

저녁에 되자 바람이 꽤 불어 1층에 자리를 잡고 다시 LA시내로 왔다. 오전에 보았던 LA가 아니었다. 오전은 청순한 여배우의 모습이었다면 밤의 모습은 아이돌 가수와 같이 섹시하게 누군가를 유혹하려는 듯한 매력적인 모습이었다.

힐리우드 도착 전, 그로브몰 파머스 마켓 근처에서 내렸다. 다양한 상점과 백화점이 있었고 전차로 이동할 수도 있는 이색적인 곳이다. 게다가 그 뒤쪽으로는 아주 깔끔하고 도시적인 야시장처럼 셀 수 없이 많은 먹거리 식당들이 즐비해 있는 곳이었다. 세계 여러

나라 음식들이 모두 모여 있었다. 난 내심 이곳에서 저녁을 먹고 가고 싶었지만 부모님은 우리를 기다리고 있을 숙부님 내외를 걱정하고 계신 듯하다. 아버지는 타조와 통닭, 튀김을 사서 어서 숙부님과 술 한잔할 생각에 들떠 계셨다. 아버지의 계획대로 음식을 사서 택시를 타고 들어왔다.

그 이후로도 역시 아버지의 계획대로였다. 숙부님은 도로에 미리 나와서 우리를 마중 나와 계셨다. 어머니와 숙모님은 저녁을 준비하시고 아버지는 오늘 본 것들을 이야기하며 좋은 안주들로 술잔도 기울고 그 날의 시간도 기울어 갔다.

제3화 대자연과의 만남

오늘은 이번 미국여행의 핵심이라고 할 수 있는 미서부 투어프로그램에 참가한다. 너무 떨렸다. 사실 아직 젊은 나이인 나로서는 이번 여행이 여유로울 수 있지만 다시 미국여행을 올 수 있는 처지가 아닌 부모님을 위해서 이번 기회에 가능한 모든 관광지를 보여드리고 싶은 욕심이 있었다. 이곳저곳 발품을 팔아 얻은 정보를 통해 미 서부 여행에서 단연코 1위는 그랜드 캐년이란 것을 알게 되었고, 미국 현지의 한 여행사와 접촉하여 한 달 전부터 예약을 하고 입금을 해둔 상태였다.

이번 투어는 BBC가 선정하고 전 세계 여행전문가들이 추천한

죽기 전에 꼭 가봐야 하는 여행지 1위인 그랜드 캐년과 더불어 자이언 캐년, 브라이스 캐년 등 3대 캐년 관광을 할 수 있으며 라스베가스도 방문하면서 캘리포니아 주, 콜로라도 주, 애리조나 주, 유타 주를 넘나들 수 있는 코스였다. 부모님도 내심 기대가 큰지 계속 이 투어에 대한 질문을 많이 하시곤 하셨다. 떨리는 가슴을 진정시키고 아침 일찍 나섰다. 숙부님은 먼 길을 떠나는 동생네가 걱정스러운지 여러 당부도 하시고 상비약과 과일, 견과류를 담은 종이가방을 건네셨다. 그새 코리아타운의 지리가 머리가 그려져서 집결지를 찾아 갈 수 있었지만 일부러 숙부내외는 차로 우리를 데려다주셨다. 한국에서는 볼 수 없었던 대형 버스가 여러 대 있었다. 그날 여러 투어를 떠나지만 우리 투어를 위해서는 한 대가 잡혀있었다. 모두 한국 사람들이었고 현지 교포 반 정도, 우리처럼 한국에서 온 사람들 반 정도 되었다. 숙부내외와 3박 4일의 이별을 위해 뜨거운 포옹을 한 후 버스에 올라탔다. 마치 비즈니스 비행기에 앉은 듯 자리 사이 간격이 무척 넓었다. 미국의 바람은 우리의 바람과 비교가 되지 않고 자연재해가 빈번히 일어날 수 있으며 기온이 무시무시하게 높아서 이런 버스가 아니면 관광할 수가 없다고 한다.

첫 날 일정은 라스베가스였다. 가는 동안에 가이드 분이 일어나서 일정을 소개하는데 무척 설명이 많았다. 가이드를 동반한 여행을 해 본 경험이 없지는 않았지만 원래 관광 가이드 하시는 분이 이렇게 설명을 많이 하나? 놀랄 정도였다. 라스베가스까지 6시간 정도의 여정동안 그 '빌리' 가이드님은 한 번도 앉지를 않고 주위를 설명해 주셨다. 설명에 대한 열정은 3박 4일 동안 식은 적이 없었다. 나중에는 좀 짜증이 날 정도였다. 후에 숙부님께 이번 여행에 동행한 가이드 관련 일화를 소개하자 여기서는 당연한 일이라고 하셨다. Tip 문화가 있는 미국은 사소한 자기 일에도 소홀하지 않고 최선을 다해야 하므로 그런 것이라고 하셨다. 교사인 나는 이런 상황을 교실 속으로 대입해 보며 생각을 해보았다. 정말 교사 주도의 수업 속에서 교사가 자기만 알고 있는 지식이나 사실을 일방적으로 쏟아 부은 적이 많은 나로서는 여간 학생들에게 큰 죄를 진 게 아닌가 싶었다. 어른인 나는 무시하며 음악을 듣거나 잘 수도 있으련만 교실 속 우리 아이들은 이러지도 저러지도 못하며 얼마나 힘겨웠을까? 하지만 빌리 가이드님은 훨씬 나보다 나은 분이셨다. 한인 타운에 대한 소개부터 미국의 선거, 역사, 정치, 종교, 각 주로 이동을 하면 그 주에 대한 개략적인 소개, 여행지에 대해서는 과학적인 원리, 지리적인 특성에 대해서도 정말 자세히 알려주셨다.

　미국학 개론을 마치고 온 듯했다. 문득 문득 나오는 경상남도 사투리가 들려 고향이 어디냐고 물으니 남해 창선이라고 하신다. 참 세상에 이럴 수가! 창선은 내가 예전에 근무한 학교가 있던 곳이다. 예전에 창선에서 근무를 했다고 하니 이내 얼굴이 붉어지시면서 침 튀기며 격하게 반겨주셨다. 창선 장포가 고향이라고 하신다. 창선중학교에 자기 친구가 근무한다며 이름을 대니 마침 내가 아는 분이셨다. 세상에 우연은 없다고 생각한 적이 있지만 가끔은 누군가 우리를 이끄는 힘이 존재한다는 것을 느끼게 해주었다.

　라스베가스는 정말 천국이었다. 현실 속 파라다이스라고 해야 될까? 죽음의 계곡이라고 불리는 데스 벨리는 남북길이가 225㎞이며 동서길이는 8~24㎞에 달한다. 북아메리카에서 가장 덥고 건조한 지역이며 캘리포니아 주에서 라스베가스로 이동하는 많은 이주민들이 이곳에서 죽었다고 한다. 이 죽음의 계곡을 지나면 나오는 라스베가스는 정말 사막의 오아시스 같은 존재가 아니었을까?

실제로 라스베가스라는 말은 스페인어로 '드넓은 초원'이라는 뜻이란다. 라스베가스는 전 세계에서 온 방문객들로 들썩거렸고 궁궐과 같은 어마 무시한 호텔들이 숲을 이루고 있었다. 그 중에는 현 미국 대통령인 도널드 트럼프 호텔도 볼 수 있었다. 밤이면 모든 호텔들은 인간이 누릴 수 있는 쾌락의 끝을 보여주려고 애를 쓴다. 분수 쇼, 셀린 디온, 브루노 마스 등 유명한 최정상의 인기 가수들의 공연, 마술 쇼, UFC, 세계적인 스포츠 이벤트, 세계적인 기업들의 박람회 등이 열리고, 맛집 들이 즐비하여 입도 즐겁고 눈도 즐겁다. 그리고 카지노까지 모든 호텔들이 갖춰져 있어 손도 즐겁다고 해야 할까? 머리까지 즐겁다고 해야 할까? 수 천 만원을 가지고 와도 하룻밤이 지기 전에 빈털터리가 되기 십상이겠다. 이 세상에서 가장 재밌는 일은 돈을 물 쓰듯 하는 거라는 얘기를 들은 적이 있는데 라스베가스가 바로 최적의 장소라 여겨진다.

우리는 자그마치 6,090개의 방을 보유하고 있으며 라스베가스에서 최고의 경관을 자랑하는 베네시안 호텔을 방문했다. 믿기지 않는 규모에 입을 다물 수 없었고 벽이나 천청에 그려져 있는 그림들은 유럽 어느 유명 박물관에서 볼수 있을 정도의 완성도 높은 예술성이 엿보였다. 무빙워크를 타고 올라가 2층에 도착한 곳은 이탈리아의

베네치아를 연상하게 하는 장소였다.

 우리 일행들은 도착하자마자 와~하고 탄성을 질렀다. 왜냐하면 천장에 있는 하늘그림 때문이었는데, 그렸다는 것이 조금 티 나는 것 같기도 한데 막상 가서 보았을 때는 진짜 하늘인 줄 알았다. 분명 건물 안인데 하도 하늘과 구름이 진짜 같으니 실감이 나지 않았다. 주위로는 찻집과 명품샵들이 있었고 물이 흐르며 곤돌라가 다니고 있었다. 정령 이 곳이 건물 안 이란 말인가!

우리가 그날 묵은 숙소는 이집트 피라미드 모형을 본 뜬 이색적인 Luxor 룩소르 호텔에서 하루를 묵었다. 여기에 있는 호텔은 역사가 다들 오래된 호텔들이란다. 그래서 해마다 많은 호텔들은 리모델링을 한다고 한다. 우리 호텔도 외관은 엄청 화려해보였지만 내부 방의 모습은 우리네 여인숙과 비교할 만 하였다. 쉬면서 스마트폰을 사용하려고 하였지만 데이터가 작동되지 않았다. 라스베가스의 호텔들은 투숙객들이 모두 밖으로 나와서 유흥을 즐기고 돈을 쓰도록 하기 위하여 방에 있는 것을 극도로 싫어한단다. 그래서 스마트 폰도 못쓰도록 하기 위한 장치가 설치되어 있었다.

빌리 가이드가 저녁에 라스베가스 3대 쇼로 일컬어지는 태양의 서커스단 공연인 '물의 쇼', 'O 쇼'와 달리, 불(火) 이라는 뜻의 'KA 쇼' 관람을 위한 희망자를 받았었다. 제일 싼 티켓이 190불일 정도로 고가의 쇼였다. 나는 다음을 기약하고 부모님을 신청하였지만 이내 부모님은 쌍심지를 키시며 당장 취소를 하시는 바람에 우린 뷔페를 먹은 후 라스베가스 시내를 거닐며 일정을 마무리 할 수밖에 없었다. 부모님은 다음에 꼭 우리 가족과 동생네 가족과 다시 올 거고 그때는 꼭 쇼를 볼 거라서 지금은 안 보는 게 맞다고 하신다. 꼭 그랬으면 좋겠다. 그렇게 라스베가스에서의 하루 일정이 끝나고 다음 날 아침 서둘러 이틀째 일정에 돌입했다.

이틀째의 여정은 브라이스 캐년과 자이언 캐년을 본다. 어제부터 데이터가 되기 시작하여 버스에서의 시간이 지겹지 않았다. 하지만 주위의 경치가 정말 아름답고 풍요로워 가는 내내 눈이 즐거웠다. 거의 한국과 낮과 밤이 반대가 되어 미국에서 오후 저녁이면 한국은 아침이었다. 이전의 일들과 사진들을 한국에 있는 지인들에게 보내어 주니 반응이 너무 좋았다. 같이 여행을 하는 기분이라며 계속 사진과 이야기를 들려 달라고 하여 이때부터 미국방송이 시작되었다. 나는 하루의 이야기를 사진과 함께 매일 전송하였고 지인들과 오붓한 대화를 매일 나누었다.

아직 그랜드 캐년은 보기도 전이었지만 브라이스 캐년과 자이언 캐년을 보면서도 감동의 눈물이 자연스럽게 흘렀다. 먼저 자이언 캐년을 보았는데 그 웅장한 자태에 입을 다물지 못하고 버스 안에서는 연신 감탄사를 멈추지 않았다. 그리고 스마트 폰의 카메라에서는 후레쉬가 불을 뿜었다.

정말 이렇게 아름다운 자태가 또 있을까? 아름다움은 우리 주위에도 항상 있다. 그것이 사람이 될 수도 있을 것이고, 사물도 있을 것이다. 하지만 이제껏 자연에 대한 경이로움을 이렇게 크게 느껴보지 못하고 산 것 같다. 기껏해야 일출이나 일몰, 산 정상에서 본 경치, 또 뭐가 있었을까? 아! 예전 호주에서 보았던 '에어즈 락'이 또 오른다. 그 때도 머리에 망치를 한 대 맞은 듯한 충격을 느낀 적이 있었다. 또 인도의 타즈마할을 본 순간도 그랬던 거 같다. 하지만 눈물까지는 안 나왔는데.. 말 많던 빌리 가이드도 이 순간만큼은 우리에게 관람의 시간을 주려는 듯 가만히 앉아 있었고 스피커에서는 Time to say goodbye와 미국의 애국가가 흘러 나왔다. 너무나 거대한 자연 앞에 나는 자연스럽게 겸손해질 수밖에 없었고, 손에 쥐고 있던 소세지 조차 숨기고 싶었다. 자연은 너무나 거대하고 위대해 보였고 그에 반해 인간은 너무나 작아 보였다. 하지만 이 자그마한 미생이 이룩한 결과물은 또 어떤가? 결국 우린 모두가 소중한 존재들이 아닐까? 중간 중간 버스에서 내려 사진을 찍는데 너무 행복하였다. 이런 곳에 와있다는 것이 큰 축복처럼 여겨졌다. 나의 모든 허물과 죗값들이 모두 다 날아가 버릴 것만 같았다.

웅장한 남성미가 특징인 자이언 캐년과 달리 브라이스 캐년은 섬세한 여성미가 일품이었다. 화강암의 단단하고 화려하며 밝은 계통의 암석이 자이언 캐년이었다면 브라이스 캐년은 좀 더 작고 붉은색 계통의 암석으로 되어있으며 상자에 수많은 보석이 담겨 있는 모습이다. 수만 년 전에 융기한 암석들이 비와 세찬 바람, 눈에 깎여 끝이 뾰족하지 않고 뭉툭한 모양을 한 것들이 많은데 이것을 후두(Hood)라고 한단다. 후두는 흙과 바위의 중간 정도의 강도를 가진 지형지물로 생김새는 동굴 천정에 흔히 매달려 있는 종유석과 비슷하게 생겼고 그 크기는 작은 것에서부터 초대형 빌딩과 같은 크기까지 다양하다.

나중에 모든 일정이 끝나고 LA로 돌아오는 길에 빌리 가이드가 자기가 설명한 것 중에서 퀴즈를 내어 맞추는 사람에게 조그만 선물을 주었다. 그 때 두 번째 퀴즈의 정답이 '후드'였고 나는 바로 정답을 맞추었다. 미국의 지도에 고속 도로명들이 적혀있는 냉장고에 부치는 자석을 선물로 받았다. 직업병처럼 무슨 설명을 들으면 메모를 하거나 꼭 기억을 하는 습관 덕분이었다.

위에서 내려다보면 짧게 느껴지지만 내려갔다가 올라올 때는 정말 길어서 약속 시간을 늦는 경우가 많다고 한다. 우리는 눈앞에 펼쳐진 이 풍경을 어서 온 몸으로 담고자 이곳저곳을 이동했다. 너무나 아름답고 신비스러웠다. 평소 등산광이신 아버지는 어디에 홀리신 듯 사진 찍는 것도 마다하고 저 밑으로 내려가셨다. 아까 가이드가 말한 대로 내려갈 때는 금방 내려갔지만 올라오는데 한참 시간이 걸렸다. 가까스로 약속시간을 지킬 수 있었고, 아버지는 이국땅에서 한차례 폭풍 잔소리를 들으셔야만 했다. 아버지는 입을 다물지 못하시고 연신 찍어 오신 사진을 보느라 정신이 없으셨다.

숙소로 돌아오는 길에 보이는 이름 없는 작은 캐년들도 정말 많았고 예뻤다. 이런 광경을 오늘 하루만에만 보고 가는 것이 너무나 아쉬웠다. 미국은 캠핑카 문화가 너무나 발달되어 있어서 국립공원 주위에 캠핑카가 많이 주차되어 있었고 사람들은 트레킹을 하며 이곳을 몇 달 동안 탐험한다고 한다. 다시 또 이곳을 온다면 여기에만 일주일정도 있었으면 한다. 숙소로 돌아 오는 길에 몰몬교에 대한 장황한 설명이 이어졌다. 유타주와 몰몬교와의 깊은 관계를 설명해 주었는데 내 나름의 정리가 되지 못하였다. 그렇게 투어 둘째 날이 지났다.

셋째 날 일정도 새벽 6시에 시작되었다. 연세가 있으신 부모님은 지치지도 않으시고 잘 지내셔서 맘이 놓였다. 입맛에 맞지 않으면 어쩌나 걱정 했지만 기우였다. 서양식 조식 뷔페도 너무 잘 드셨고 기분 좋게 출발할 수 있었다. 오늘은 대망의 그랜드 캐년을 보는 날이다. 오전에는 그랜드 캐년을 보기 앞서 Antelope Canyon 앤탈로프 캐년을 보러 갔다. Antelope Canyon은 아리조나 주 페이지라는 조그만 시골마을의 나바호 인디언 보호구역에 있어서 인디언들이 관리를 하고 있었다. 사실 앤탈로프 캐년은 궁금해 하지도 않았는데 막상 와보니 저번에 여행 관련 TV채널에서 흥미롭게 보았던 곳임을 알고 무척 기분이 좋았다. 수 억 만년동안 붉은 사막에 사정없이 흐르는 홍수로 인하여 깎인 지층이 좁은 통로를 만들어 굳어지며 생긴 슬롯 캐년이다. 양을 몰던 인디언 소녀 목동이 사라진 양을 찾기 위해 여기저기를 헤매다가 바닥에서 들려오는 양을 발견하고는 우연히 내려가게 되면서 이 아름다운 절경이 세상에 드러나게 되었고, 그 후 일본의 한 사진작가가 이곳을 찍은 사진을 전시하게 되면서 세계적인 명소가 되었다. 이전에는 가난에 찌들어 살던 이곳 인디언들은 해마다 이곳의 입장료를 천정부지로 올리며 미국에서 가장 부유한 인디언이 되었다고 한다.

이런 사막에 홍수가 일어나는 게 정말 신기하였지만 몇 년 전에도 이곳에 심한 홍수로 인한 피해가 극심했다고 한다. 이곳뿐만 아니라 잠시 후에 보게 될 그랜드 캐년 관광도 날씨가 엄청 중요한데 이번에 온 우리 모두는 선행을 많이 쌓아서 그런지 겨울임에도 불구하고 너무 날씨가 좋아 구경하는데 최고의 여건이라고 빌리 가이드가 말해 주었다. 정말 그랬다. 지하로 내려가서 지상을 올려다 본 앤탈로프 캐년의 절경은 정말로 글로는 어찌 묘사할 수 없는 환상적이면서도 몽환적인 분위기를 뿜어냈다. 카메라를 갖다 댈 때마다 작품이 나왔다. 일회용 카메라를 가져와 찍어도 작품이 될 정도였다. 풍족한 입장료를 받아서인지 인디언들은 밀려오는 관광객들에게 시종 따뜻한 미소와 안전한 가이드를 해주었고 사진을 찍어달라는 부탁을 흔쾌히 모두 들어주었다.

 어제부터 너무 절경을 많이 봐서 시간이 아까웠다. 이런 곳을 몇 시시간만 보고 떠나야 한다는 것이 너무나 아쉬웠다.

다시 밖으로 나와 보니 지층이 커피색과 같은 짙은 갈색 암석으로 끝없이 펼쳐진 가운데, 지진이 난 거처럼 김이 스멀스멀 올라오고 있었다. 마치 이곳은 화성이나 목성과 같은 다른 행성에 와있는 듯한 착각이 들었다. 정말 이런 곳은 우리나라도 아니지만 꼭 아껴주고 보호해야 할 가치가 충분하단 생각이 들었다.

차를 타고 몇 시간을 가서 점심때 쯤, 드디어 그랜드 캐년에 도착하였다. 하지만 기대가 너무 컸을까? 아니면 지금까지 절경을 너무 많이 보았기 때문일까? 생각만큼 감동이 오지 않았다. 하지만 그 Grand라는 이름에 맞게 거대한 자연의 웅장함은 타의 추종을 불허했다. 2350km에 이르는 아리조나 주, 콜로라도 강이 몇 백만년이라는 오랜 세월동안 카이바브 고원을 침식하여 만든 거대한 협곡이며 최대의 지리학 교과서라고도 불린다. 이런 곳을 하루 만에 다 관람한다는 것 자체가 말이 안 되었다. 그랜드 캐년을 볼 수 있는 View point들이 있는데 우리는 버스를 타고 다니며 내려서 구경하고 다시 타고를 반복했다. 너무나 거대하고 아름다고 자연에 모든 이들이 숙연해 지는 듯 그렇게 많은 사람들이 있었지만 조용하였다. 저 깊숙이 아래로 아득히 보이는 곳은 또 어떤 신세계가 있을지 궁금하여 빨려가듯 떨어져보고 싶은 심정이 들었다. 그래서 내 발 치에 있는 조그만 바위를 아래로 던져보았다. 아무런 소리도 들리지 않았다. 마치 엄마 품으로 들어가는 듯 조용하기만 하였다. 정말 우리 인간은 아주 아주 사소한 존재같이 여겨졌다. 이제는 자연에 순응하며 관조하는 마음으로 인생을 살아야겠다는 생각이 들었다.

내 마음 속에 가지고 있는 욕심, 이기심, 철저한 원칙들을 벗어버리고 소탈하게 살기로 마음먹었다. 나 뿐 아니라 다른 사람들도 무슨 생각에 잠겼는지 멍하니 협곡만 볼 뿐이다. 가이드는 두 가지를 제안하였다. 경비행기 관광코스가 있고 I-Max영화 관람이 있었다. 비용은 10배 차이가 났다. 물론 부모님은 후자를 택하셨다. 한번뿐인 이런 기회는 무조건 저지르고 봐야 하는데.. 부모님은 또 다음을 기약하셨다. 정말 다음을 기약하신 걸까? 아니면 무서워서였을까? 하지만 I-Max영화도 그리 나쁘지 않았다. 대형 스크린위에 그랜드 캐년의 웅장함이 펼쳐지는데 유명한 포인트에서 보이는 모습을 마치 비행기에 탑승하여 보는 듯한 느낌이 나게 실감나도록 보여주었다. 초반에는 먼 옛날 이곳을 살던 인디언들의 이야기부터 백인들의 탐험하는 모습을 제대로 구현하여 보여주었다. 물론 한국어가 이어폰으로 제공되어 그랜드 캐년에 대하여 이해하는데 많은 도움을 주었다. 큰 감동을 안고 그렇게 숙소로 돌아왔다.

차에 타자마자 미국방송이 시작되었다. 어제부터 지금까지 찍은 사진을 몇 장 올리니 반응이 정말 뜨거웠다. 아내만 시큰둥했다. 두 아이를 깨워 씻기고 아침을 먹이고 어린이집 등원을 하는 듯했다. 여기는 너무 평화로운데 그곳은 정말 시끌벅적한 것이 느껴졌다. 더 말을 이어가는 것이 아내에게는 피해를 주는 것 같아 끝인사만 나누고 대화를 마쳤다.

숙소가 엄청난 고지대에 있다고 하였다. 잠이 잘 오지 않았지만 뜨거운 물로 샤워를 한 후 창문을 열어 밤공기를 마시니 공기가 너무 좋고 대자연의 품안에 있는 듯하였다.

드디어 투어 마지막 날이 되었다. 마지막 날은 LA에 오면서 켈리코 폐 은광촌에 들리는 일정뿐이었다. 처음에는 모두 낯설어 조용하였지만 3박 4일의 시간동안 제법 친해져서 버스 안은 꽤나 시끄러웠다. 한국에서 계모임 형식으로 온 분들도 계셨고, 이런저런 이유로 미국에 있는 자녀를 보기 위하여 연초에 미국에 왔다가 다 같이 여행을 온 경우도 있었다. 대부분은 미국 교포나 캐나다 교포분들이 가족들과 여행을 오는 경우가 많았다. 물론 한국에서 신혼여행을 온 커플도 있었고 나와 같이 교사인 여자분 들도 두 분 있었다. 모두다 사연은 다르지만 한 자리에 모였다. 눈에 띄는 분은, 25세의 손녀가 외할머니를 모시고 참가하였는데 할머니 연세가 86세셨다. 우리 모두는 할머니의 건강을 매일 챙겨드리고 안부를 묻곤 하였지만 할머니는 거뜬히 모든 일정을 소화하셨다. 대단한 정신력과 체력이셨다. 어머니는 특유의 친근함으로 참여한 모든 분들과 이야기를 나누셨다. 대화는 대게 자식 자랑으로 귀결되는 듯 했다. 어머니의 대화에는 "우리 아들이~"하는 것을 여러 번 들을 수 있었다. 많이 부족하다고 생각했지만 이번 여행으로 제대로 된 아들역할을 처음으로 한 거 같아 맘이 놓였지만, 좀 자제해줄 것을 당부 드렸다. 부모와 떨어져 머나먼 타지에 남게 될 자식들과 이별을 앞둔 이들의 눈에는 슬픔의 그림자가 아른거렸다. 버스는 희망하는 하차 지점에 내려 주었다. 내려줄 때마다 모두들 건강과 행복을 기원하며 작별을 하였다. 우리는 우리가 탔던 곳에 내려 숙부의 빌라로 걸어갔다. 자연 속에 있다가 도시에 오니 불편함이 느껴졌다. 연락을 주지 않고 잘 찾아왔다고 깜짝 놀라며 반겨주셨다. 역시나 숙모님은 푸짐한 저녁을 한상 차리고 계셨다. 그렇게 그날 밤도 우리는 우리가 보낸 3박 4일의 일정을 나누며 도란도란 이야기꽃을 피웠다.

제4화 인연

그 다음날인 토요일은 귀한 인연을 만났다. 내가 예전에 근무했던 학교에서 2년 동안 같이 지낸 원어민 선생님을 만났기 때문이다. 영어 연구교사에 참가 중이었던 나는 1년 내도록 그 원어민을 귀찮게 하였고 그럴수록 우리 둘은 친해졌다. 같이 작업을 하고 난 후 시간이 길어지면 저녁 식사를 하거나 하굣길에는 내가 집으로 가는 길에 태워다 주면서 많은 이야기도 나눌 수 있었다. 계약기간이 만료되어 떠나게 되었을 때, 꼭 미국에 한 번 오라는 신신당부가 있었지만 그때는 헤어짐의 그럴싸한 인사겠거니 하고 가슴에 담아두지 않았다. *'될 인연은 힘들게 몸부림치지 않아도 이루어지게 된다'*는 혜민스님의 말씀처럼 우리 둘은 다시 재회할 수 있었다. 토요일 아침이 되자 마치 데이트를 나가는 것처럼 가슴이 콩닥콩

닥 거렸다. 나는 원어민을 만나러 가고 부모님과 당숙내외는 당숙의 가게를 구경한 후 당숙의 큰 딸과 손녀가 사는 대저택에 놀러 가기로 했다. 당숙의 손녀는 '주리'라고 하는데 20년 전에 내가 미국에 놀러왔을 때 나를 이곳저곳 데려다 주며 친하게 지낸 동갑내기 친구이다. 결혼도 하고 딸도 낳고 잘 산다고 한다. 그래도 한번 만나보고 싶었지만 인연이 된다면 또 어느 순간 만날 수 있지 않을까?

원어민은 직접 차를 몰고 숙부공장으로 찾아왔다. 예전모습 그대로였고 한국에 있을 때 보다 더욱 멋있었다. 커피 한잔을 마시며 어른들께 인사를 드리고 우리는 빠져나왔다. 원어민은 미국에 와서 은행에 취직을 하였고 바쁘게 살아가고 있다고 한다. 얼마 전에는 댄버까지 출장을 가서 좀 더 일찍 만날 수 없었다고 한다. 또 좋은 뉴스는 피앙세와 함께 올 가을에는 결혼을 한단다. 이런 저런 못 다한 이야기를 나누며 LA시내를 내려다 볼 수 있는 Griffith observatory로 갔다. 이곳은 영화 라라랜드의 촬영지이며, LA에 유년기를 보낸 사람이라면 꼭 한번은 현장체험학습이나 과학시간에 온다는 곳이란다.

뉴욕에 있는 센트럴 파크보다 5배가량 크며 공원 안에는 천문대, 동물원, 박물관, 극장, 골프장, 트레일 코스 등 모든 시민들의 오감을 만족시킬 시설들이 곳곳에 포진해 있어 아이들 교육과 휴식을 취하기에 딱 좋은 곳이었다. 내가 사는 곳에도 이런 곳이 있으면 얼마나 좋을까? 놀라운 것은 개인 소유의 땅이었는데 LA시민을 위해 기증하여 설립하였다고 하니 더 부러웠다. 관광객들보다는 연인이나 아이들을 데리고 나온 사람, 야구하는 사람, 반려동물과 산책하는 사람들이 많았다. 우리는 시내를 한눈에 볼 수 있는 '그리피스 천문대'로 향했다. 아주 거대한 규모의 돔 모양 꼭대기였다. 해 질 무렵에 천문대 테라스로 나가면 붉은빛과 보랏빛으로 물든 '천사의 도시'가 수많은 조명으로 아름답게 빛나는 모습을 볼 수 있다고 하는데, 일몰의 모습 보는 것은 다음으로 미루기로 했다. 딱 트인 시내가 한 눈에 들어왔다. 멍 하니 보고만 있어도 너무 아름다웠다. 왜 이 도시의 이름에 'Angel'이 들어가는지 알 수 있었다. 바로 옆에 있는 헐리우드도 보였다. 천문대 내부의 극장과 테라스 등에서 시간대 별로 방문객을 위한 다양한 과학 이벤트가 열렸다. 그 시간이 되면 발표자가 나와 모형물과 슬라이드 쇼를 보여주면서 설명도 해주었다. 중앙에 큰 진자가 있고, 테슬러 코일은 시간에 맞춰 보여줬다. 복도에는 천체와 우주에 관한 모형물이 전시돼 있으며 레이저쇼와 플라네타륨 쇼는 유료였다. 원어민은 강추라며 플라네타륨 쇼 티켓을 끊어왔다. 선생님인 나는 이것은 꼭 보고 가라고 한다. 쇼 룸에 입장하여 천정을 보니 돔 모양의 거대한 화면이 보였다. 안마의자 같은 곳에 누워 천정의 화면을 보는 것이었다. 시간이 되자 나이가 좀 있으신 여자 분이 화면의 그림을 보며 진행을 하셨는데 목소리가 너무 좋으시고 장면에 따라 목소리가 바뀌면서 실감나게 설명을 해주셨다. 마치 한편의 영화를 보는 듯 했다. 그냥 영화가 아니라 물이라는 주제로 시작하여 인류와 동물들의 진화, 분자, 구조물, 환경, 에너지, 태양계를 넘나드는 융합적인 내용이었다. 때로는 해설자의 설명에 폭소를 터트리거나 감탄을 표하기도 하는데 나의 짧은 영어 실력으로는 따라갈 수 없었다. 그저 느낄 수 있는 것은 그림과 그 여자 분의 감탄스런 목소리 뿐..... 꽤 긴 시간이 걸렸고 대부분은 'Awesome', 'Great'을 연발했다. 좀 더 구경을 한 후 커피 한 잔씩을 들고 야외로 나와 지나온 이야기를 나누었다. 미국의 여유로운 주말 일상을 경험할 수 있었다. 어느덧 점심때가 훌쩍 지나고 있었다. 나에게 매뉴 지명권을 주었다. 미국에 오기 전 꼭 2가지 브랜드 햄버거를 먹고 오고 싶었다. 'Shake Shack' 과 'in@Out'이었다.

근처에 가까운 곳을 검색한 후 'Shake Shack'으로 갔다. 사람들로 가득했고 점원은 한국에서 온 나에게 관심을 보이며 한식을 너무 사랑한다고 한다. 기대한 것 보다는 맛이 특별하거나 맛있진 않았다. 맥주를 같이 먹을 수 있는 것이 인상적이었다. 우리는 결혼에 관해 주로 많은 이야기를 나누었다. 이렇게 남편을 미국에 장기간 보내줄 수 아량을 가진 나의 아내에 대해 폭풍 칭찬을 하였다. 그런 것은 다 내가 이미 베풀어 놓은 것에 대한 보답이라고 답하자 뻥은 여전하다고 호탕한 웃음을 지었다. 결혼한 선배로서 이런저런

노하우를 말하며 오늘 신세 진 빚을 갚으려 하니 자기가 다 알아서 할 거라고 한다. 그리고 삼천포 어느 식당에서 내가 스테이크를 사준 적이 있는데 그 맛을 잊을 수가 없단다. 그리고 결혼을 하면 피앙세와 꼭 남해와 삼천포를 여행할 거라고 하니 방을 한 칸 마련해 두라는 당부도 하였다. 계속 결혼 준비로 바쁜 나날을 보내는 듯 하였다. 부럽기도 하고 드디어 고생길에 접어드는 그에게 파이팅을 보냈다. 아직 한 주가 더 남았지만, 직장생활과 결혼 준비로 또 만나는 것은 어려울 거 같았다. 다시 숙부댁으로 나를 태워주고 아쉽지만 헤어졌다. 그래도 이만한 시간과 노력을 기울여 준 원어민이 정말 고마웠다.

숙부댁은 또 술잔이 차려져 있었다. 주리가 나에게 선물로 보내준 쿠키세트가 있었다. 잘 지내고 있다니 좋았고 나의 소식들도 부모님이 잘 말해주었다고 하셨다. 또 저녁 만찬을 먹으며 행복했던 하루가 지났다. 다음 주 일요일은 출국이고 그 전에 수요일부터 토요일까지가 샌프란시스코 여행을 계획해 놓았었다. 그래서 일요일부터 화요일까지 계획이 없는 상태였다. 이곳에 와보니 샌디에이고가 그리 멀지 않으며 볼거리가 많음을 알 수 있었다. 급히 스마트폰으로 샌디에이고의 호스텔과 버스편을 예약해 두었다.

다음 주 일정을 보고해 드리자, 숙부는 손사래를 치신다. 볼게 없다 하신다. 다 그 곳이 그 곳 이란다. 그냥 여기서 자기와 술 한 잔 하고 놀자고 하신다. 숙모님께 한 소리 들으시고 우리 모두에게 큰 웃음을 주셨다.

제 5 화   아 버 지

 일요일 아침, 숙부는 벌써 새벽 운동을 나가셨다. 어제 그리피스 천문대 구경을 한 후 LA시내에도 볼 것들이 많을 거란 생각을 하고 여행 책을 보니 LA 게티 센터 (Getty Center)를 발견하고 오늘은 이곳을 가보기로 했다. 게다가 무료였다. 어머니는 집에 남아 있기로 하고, 아버지와 나, 단 둘만 길을 나섰다.

 이제 까지 투어 프로그램에 참여하고, 어제는 원어민의 도움을 받았지만 오늘만큼은 내 스스로 모든 것을 헤쳐 나가야만 했다. 시내 버스를 타고 가는 것만 해도 큰 부담이었다. 하지만 꼭 한번 부딪혀보고 싶었다. 제일 중요한 스마트 폰을 가득 충전을 하고 가이드 북을 꾹 손에 쥐고 집을 나섰다. 모두들 내가 길을 나서는 거에 대하여 회의감을 보였다. 구글 맵을 검색하니 가장 가까운 버스 정류장과 가는 방법이 자세히 나왔다. 지하철과 버스가 있었는데 버스를 타고 가기로 했다. 분명히 맵을 보고 가는데도 헷갈려 몇 번 길을 헤매고 지나가는 여러 사람들에게 물어 정류장에 도착할 수 있었다. 중간에 만난 어느 한 여인은 버스비가 얼마냐고 묻는 나에게 아버지와 나를 위해 토큰 2개를 선뜻 주었다. 게티 센터로 가는 길은 이전에 LA Hop&Hop 버스투어를 했을 때 보았던 익숙한 길이었다. 중간에 2번이나 갈아타고 가는 여정이었다. 처음에는 좀 버벅거렸지만 그 이후로는 일사천리로 길을 잘 찾아갔다. 입구를 도착하면 트램으로 환승을 하여 산 위로 올라가니 그리스 파르테논 신전을 연상시키는 웅장한 건축물을 볼 수 있었다. 석유 재벌인 존 폴 게티가 10억 달러가 넘는 막대한 자금과 함께 젊은 시절부터 전 세계를 돌며 모은 소중한 예술 작품들을 일반 시민들께 기증한 것이라고 한다. 우리네 재벌 중에서도 이런 분이 있으려나? 내가 모르지만 그러한 분이 꼭 있었으면 한다.

광대한 부지에 미술 전시관과 인공 정원인 센트럴 가든이 있다. 엄청난 인파들이 있었지만 붐비지 않게 관람할 수 있는 것은 큰 규모 때문인 거 같다. 역시 이곳에도 한국인 방문자를 위한 가이드 헤드셋이 있어서 전원을 키자 미술작품들에 대한 설명을 해주었다. 하지만 모든 작품들을 다 해주는 것이 아니라 특이한 몇몇 작품만 가능하여 몇 번 듣다가 끄게 되었다.

원래 미술에는 젬병인 나는 항상 미술을 잘 하는 사람들이 부러웠다. 아내에게 제일 부러운 것이 미술적인 감각과 손재주였다. 아내는 항상 여유가 되면 미술학원을 다니고 싶어 하고, 미술 용품들을 사 모으기도 한다. 근래에는 문인화에 빠져 매번 방학만 되면 대회 준비로 분주한 모습이었다. 아직은 여물지 않은 듯한 아내의 작품이 집안 여기저기 보이곤 한다. 저번에는 안 쓰는 것 같아서 이사할 때 아내의 오래되 보이는 미술 용품들을 버렸는데 그것을 가지고 매번 잔소리를 한다. 어서 돈이 좀 모이면 미술 용품들을 사 줘야겠다는 생각이 여기 미국에서 든 이유는 뭘까? 이곳에 나대신 아내가 왔더라면 참 좋아했을 거란 생각이 들었다.

동서남북 4개의 건물이 있고 각 건물은 다리로 연결되어 있었다. 건물들에는 시대별로 미술작품들이 전시되어 있었고 특별전이 열리는 곳도 있었다. 도대체 얼마나 돈이 많았으면 이 많은 작품들을 샀을까? 계속 걸어 다니다가 밖으로 나와 센트럴 정원으로 가봤다. 다양한 식물500여종이 있었고 작은 폭포와 분수, 연못이 미로처럼 굽이굽이 이어진 길 안에 숨어있었다. 그리고 역시나 LA를 한 눈에 볼 수 있는 광경이 펼쳐졌다. 이 모든 것이 무료라는 것도 너무 좋았다. 버스비를 위해 100달러 지폐를 깨기 위해 식당에 들러 맥주와 간단한 쿠키를 사서 아버지와 한잔 하였다.

오늘 투어가 만족스러운지 엄지 손가락을 올리셨다. 인증샷을 찍고 서둘러 내려오기로 했다. 저녁이 되면 갑자기 어두워지고 바람도 많이 불기 때문이었다.

오던 길을 그대로 따라 가야하면 되기 때문에 올 때 보단 부담이 덜했다. 오후라서 아침보단 버스에 사람들이 가득했다. 첫 번째 갈아타는 곳에서 도착하기 전인데 버스 기사가 모두 내리게 했다. 승객들은 모두 다 알아들은 후 짜증내지 않고 모두들 할 수 없다는 듯 웃으며 내렸다. 버스 기사도 많이 미안해했다. 영문을 알 수 없지만 나도 따라 내리는 수밖에 없었다. 같이 내릴 일행에게 다음 버스 정류장에 대해 물으니 알려줄 테니 따라오라고 하셨다. 좀 걸어가니 왜 버스가 못 갔는지 이유를 알 수 있었다. 대규모 가두시위가 진행 중 이었다. 이슬람 출신 사람들이 모여 있었고 이슬람 국기들을 들고 있었다. 내가 알고 있는 엄청나게 강성하고 폭발 직전의 시위 분위기는 아니었고 다들 패러디를 하거나 조롱하는 듯 웃음이 가득한 분위기였다. 도로를 달리던 차량 중에서 시위에 동조하는 것을 표하기 위해 경음기를 시끄럽게 울려대기도 했다. 조금 구경하다가 다시 길을 나섰다. 그러다 아까 같이 오던 일행을 놓치고 말았다. 하지만 정류장이 있는 도로명을 알고 있어서 그 도로를 찾기로 했다. 젊은 여학생 2명에게 도로명인 "헐리우드 블러버드"라고 말하자 고개를 갸우뚱 거렸다. 지도를 보이며 그곳을 짚

으니 아하! 하고 크게 웃으며 "Oh! 허이웃"하는 것이다. 그날을 계기로 헐.리.우.드.는 이젠 안 쓰기로 했다. 영어 발음의 중요성을 다시금 느끼게 되었다. 그 후 아버지와 나는 안전하게 숙부댁으로 돌아왔다. 버스 투어와 함께 오늘 시내버스 여행을 통해 어느 정도 LA와 한인 타운의 지리적 윤곽이 잡히는 듯 했다.

그날 저녁도 만찬과 술자리가 열렸다. 내일 떠나는 샌디에이고에 대한 숙부의 소개도 있었다.

아 버 지 .... 참으로 거룩하고 아름다운 말인 거 같다.
나는 이날 아주 어렸을 때 아버지에게 느꼈던 따뜻한 추억 한 가지가 문득 떠올랐다. 그 때도 이번처럼 아버지와 나와 딱 둘 만이었다. 어떤 이유에서인지 생각이 안 나지만 어머니와 여동생은 집을 지키고 나는 아버지가 굴리는 경쾌한 자전거 페달에 콧노래를 부르며 마을에 있는 공원을 갔을 거라고 짐작이 된다. 왜냐면 올 때의 기억이 너무나 생생히 나기 때문에....

지금보다 숲은 더 푸르고 계곡의 물은 깨끗하였다. 들어가서 멱을 감기에도 넉넉할 정도의 깊이에서 물장구도 치고 가재도 잡고 놀았다. 그런데 갑자기 천둥번개가 요란하게 소리치며 장대비가 쏟아졌다. 어린 나이에 비도 맞으면 아플 수 있다는 것을 느꼈던 때가 그날 이었다. 아버지와 나는 황급히 자전거를 타고 집으로 돌아왔다. 아버지는 있는 힘껏 페달을 밟으셨다. 행여나 어른 아들이 떨어질까 한 손은 자신의 허리를 감은 나의 손을 꼭 쥐고 한 손을 손잡이를 잡으시고 거친 비를 뚫고 나가셨다. 나는 거대한 아버지의 등에 얼굴을 부비고 아버지의 허리만 꼭 쥐고 있었다. 그런데 아버지의 등은 너무나 따사로웠다. 아직도 너무나 생생하다.

춥지도, 자전거에서도 떨어질까 하는 무서움도, 비의 아픔도 느껴지지 않았다. 편안함 뿐이었다.

그렇다 아버지는 그렇게 나에게 40여년을 느껴지지 않는 편안함, 행복함을 주셨다. 언제나 내가 가는 길의 뒤에서 그림자처럼 묵묵히 따라와 주시며 응원과 희망을 보내주셨다. 내가 처음 내딛는 발걸음마다 용기를 내어 나갈 수 있었던 것은 아버지가 뒤에서 보고 있어서가 아니었을까? 그리 크고 단단하게 느껴지던 아버지의 뒷모습도 70대가 접어들면서 구부정해지고, 한 번씩 소리가 안 들리시는 듯 여러 번 물으시는 것을 보면 아버지가 이제는 많이 야윈 듯하다.

마음이 조금은 아프다.

제6화 샌디에이고 여행기

　이렇게 LA에서의 한 주가 흘렀고 이제 두 번째 주가 시작되는 월요일이 되었다. 이번 주는 샌디에이고와 샌프란시스코 일정이 잡혀 있었다. 미국 전역을 이동할 때 주로 많이 이용하는 그레이하운드 버스를 타고 갔다. 버스터미널까지 숙부는 택시를 불러주시고 택시비까지 계산해 주셨다. 아침에 가랑비가 조금씩 내리기 시작하였다. LA는 지금 엄청 가뭄이 심한데 이 비가 엄청 소중한 비라고 택시 기사님은 설명해 주셨지만 여행을 떠나는 우리에겐 그리 달갑지 않았다. 지금은 내리지만 샌디에이고에서는 햇빛이 쨍쨍 하기를 기도하였다. 2시간 반 정도의 이동 시간으로 LA와 짧은 거리에 있는 샌디에이고는 원래 멕시코 땅이었으며 조금만 내려가면 국경이라고 한다. 태평양 연안의 항구도시이고 해군기지가 있어 우리의 진해와 같은 곳이다. 그리고 이곳은 발보아 파크, 시월드, 레고 랜드와 같은 빅 테마파크가 있어 '가족 여행자들을 위한 최고의 휴양지'이다. 특히 바닷가를 따라 아름다운 해변이 즐비한데 그 중에서도 다운타운이 가까운 코로나도 섬을 꼭 가보고 싶었다.

미국 최고의 해변 가운데 하나이며 걸어서 갈 수도 있고, 영화배우 메를린 먼로가 무척 사랑한 곳이었기 때문이다. 다행히 샌디에이고에 도착하니 비는 아직 오지 않았다. 맑은 하늘은 아니었지만 흐려서 햇빛이 나지 않아 오히려 좋았다. 난 구글맵을 활성화시키고 미리 예약해 둔 호스텔을 찾아갔다.

가는 길에 예전에 박찬호 선수가 있었던 Padres 야구장이 나왔다. 꽤 걸으니 다운타운 시내가 나왔고 월요이라서 그런지 도시는 조용하고 한적했다. 우리가 묵을 샌디에이고 유스호스텔은 지리적 여건이 좋았다. 때마침 자원봉사를 하고 있는 한국인 유학생을 통해 주변 여행지와 맛집을 소개받았다. 짐을 풀고 커피를 한잔 한 후 시내 구경을 위해 나왔다. 해안도로로 나가봤다. 해안가를 따라가니 조금씩 비가 내리기 시작했다. 저 멀리 거대한 항공모함이 보였다. 역시 해군기지가 있다더니.....

우리의 걸음은 빨라지기 시작했다. 거대한 항공모함이 눈 앞에 나타났다. 아파트 높이만하고 길이는 족히 300m가 넘어보였다. Uss midway museum이었다. 베트남 전쟁, 이라크 전쟁 등 많은 전쟁에 참여하고 1992년에 퇴역한 항공모함을 박물관으로 전시해 놓은 것이었다. 맨 위층에는 비행기도 많이 있던데 비행기가 작게 보일 정도로 웅장하였다. 20불의 입장료를 내면 항공모함 내에 들어가 내부의 모습도 볼 수 있으나 다음을 기약하기로 했다. 자세히 옆을 보니 아무리 강인한 항공모함 일지라도 세월의 흐름은 이겨낼 수 없었는지 페인트 칠이 벗겨진 곳 들이 보였다. 거대한 바다와 폭풍우를 견디며 이곳 저곳을 다니며 전쟁까지 치루는 고단한 삶을 끝내고 쉬고 있는 항공모함이 할아버지처럼 느껴졌다. 평화롭고 아름다운 이 해변에서 편안히 쉬길 바라며 다음 여정을 떠났다.

바로 옆에는 거대한 동상이 서 있었다. 바로 그 유명한 '해병의 키스' 동상이었다.

2차 세계대전이 끝나고 거리로 나온 사람들은 종전의 기쁨으로 가득하였고 그 거리에 있던 해병이 지나가는 한 간호사를 낚아챈 후 격렬히 키스를 했고 사진작가가 그 장면을 찍고 신문에 기재한 후 유명해졌다고 한다. 가까이 가서 보니 살아있는 사람처럼 온기와 핏줄이 선명하게 그려져 있었다.

어머니도 터프한 남자다운 해병이 멋있다며 얼마나 좋았을까 하신다. 동상 주변으로는 연인들이 많이 있었다. 베트남 참전 용사이신 아버지는 생각이 많은 듯 주의깊게 관찰하셨다.

이때부터 빗줄기가 제법 굵어졌다. 마를린 먼로 섬인 코로나도 섬으로 가는 일정을 수정하고 데이패스를 사서 트롤리를 타고 시내를 둘러보기로 했다.

이른 아침부터 시작된 여행으로 부모님은 지치신 듯 했다. 트롤리에 오르자 대단히 만족해 하셨다. 우리는 내리는 비를 보며 샌디에이고 시내를 눈으로 구경했다. LA에 비하면 규모도 작고 한적한 느낌이 들지만 나에게는 이런 곳이 더 좋았다. 한 시간 쯤 타자 종점에 도달하여 이번에는 다른 노선의 트롤리로 갈아타고 또 시내 구경을 했다. 어느덧 부모님은 잠을 청하고 계셨다. 사람들이 없어 더욱 조용하니 잠 오기가 딱 좋았다. 우리 숙소가 있는 곳에 내리니 가이드북에서 보았던 가스램프 쿼터가 나왔다. 20세기 초 가스램프로 불을 밝히는 가로등을 아직까지 보존하고 있었다. 오렌지색의 가스등이 따뜻하고 로맨틱 밤 분위기를 자아냈다. 비가 오니 더욱 분위기가 좋았다. 아내가 있었으면 근처의 카페에서 커피 한잔을 하며 2017년에 마저 나누지 못했던 이야기들을 나누고 싶었다. 이렇게 샌디에이고 첫 날일정이 끝났다. 뜨거운 물로 샤워를 하고 잠자리에 누워 잠시 꺼둔 미국방송을 시작하였고 나도 너무 피곤한 나머지 빗소리를 맞으며 일찍 잤다. 정말 오랜만에 푹 잔거 같았다.

 다음 날 아침. 빗방울이 제법 굵어졌다. 날이 좋으면 어제 못 가본 코로나도 섬에 가려고 했으나 우산도 없어 근처에 쇼핑센터를 가서 귀국 선물을 사는 것으로 일정을 마무리 짓기로 했다. LA행 버스가 오후였기 때문이다. 조급한 일정이 아니라 아침에 여유가 많았다. 호스텔에서 나오는 조식 메뉴를 천천히 그리고 아주 많이 먹었다. 부모님이 이것저것 잘 드시니 고마웠다. 기다려도 빗방울은 가늘어지지 않아 그냥 출발하기로 했다. 이곳 사람들은 우산을 쓰는 사람들이 거의 없었다. 우리도 모자를 쓰고 쇼핑센터로 출발했다. 다행히 조금 지나자 비가 멈추었다. 웨스트 필드 호턴 플라자에 도착하였다. 아직 오픈하지 않았다. 유명 백화점과 대형쇼핑몰, 영화관, 호텔 등이 몰려있었지만 화요일 아침 이른 시간이라 사람들은 거의 없었다. 큰 백화점에 우리가 말하는 한국말만 들릴 뿐이었다. 대부분 모든 상점이 빅 세일을 붙여놓고 있었다. 나는 장모님과 아내의 Bag을 장바구니에 담았다. 부모님은 그렇게 지금껏 돈을 아끼시더니 쇼핑몰에 오자 이것저것 사기 시작하셨다. 한국에도 다 있으니 사지 말라고 해도 막무가내셨다. 어머니는 운동화를 미국 백화점에서 사셨다. 아버지는 모자를 2개나 사셨다. 아마도 모자를 즐겨 쓰시는 숙부가 부러우셨나보다. 그리고 손주들을 위한 선글라스와 장난감과 인형을 사시고, 여동생을 위해 여행용 캐리어 가방 세트를 거금을 주고 사셨다. 매번 여행갈 때 마다 보이는 낡은 캐리어가 마음에 안 드셨나보다. 내가 청바지 가게에 들러 이것저것 고르다 내려놓으니 가이드를 잘 해서 주는 선물이라고 청바지와 재킷을 사주셨다. 참 기분 좋은 하루였다. 짐이 한 가득이 되었다.

다시 호스텔로 들어가 짐을 나눈 후 플라자에 있는 대형 슈퍼마켓으로 가서 점심거리를 샀다. 그리고 그 곳에서 숙부님을 위한 좋은 포도주와 양주를 샀다. 매일 밤마다 술을 먹는 바람에 벌써 양주 2병을 다 마셔버렸기 때문이다. 그렇게 우리의 샌디에이고 여행이 끝맺음이 되었다.

LA에 도착하자 저녁이 되었고 비가 제법 굵게 내리고 있었다. 숙부내외는 비가 와서 우리 걱정을 많이 하셨다고 한다. 사들고 간 양주와 포도주를 꺼내니 너무 기뻐하시고 우리는 또 술잔을 들었다.

제7화 샌프란시스코 여행기

이젠 샌프란시스코 일정만 남았다. 샌프란시스코 3박 4일을 갔다 오면 이번 미국여행도 끝나게 된다. 샌프란시스코 일정의 백미는 바로 요세미티 국립공원이다. 저번 주에 그랜드 캐년을 다녀온 후 미국의 국립공원에 매료된 우리는 요세미티 국립공원이 무척 기대가 되었다. 어떤이는 그랜드 캐년보다 요세미티 국립공원을 더 쳐 주었다. 샌프란시스코를 가서 현지 여행사를 통해 투어를 참여하고자 했으나 일정이 빠듯할 거 같아 인터넷 검색을 통해 요세미티 국립 공원 당일투어 현지 여행사를 찾아 전화를 걸어 예약을 했다. 과연 할 수 있을까 걱정을 했는데 어렵지 않았고 상담원이 무척 친절했다. 요세미티 투어를 예약하자 한결 가벼워진 마음으로 떠날 채비를 하였다. 그렇게 샌디에이고를 다녀오고 바로 날 오전에 샌프란시스코로 출발했다. 숙부는 너무 일정을 타이트하게 잡았다고 꾸중을 하셨다. 행여나 부모님의 건강에 해가 될까봐 하는 염려이셨다. 먼 길을 떠나는 동생내외가 언제나 걱정이신 듯 했다. 이번에도 나의 어깨를 어루만지며 잘 다녀오라고 당부를 하셨다. 이젠 LA시내버스 타는 것은 하나도 두렵지 않았다. 날씨도 화창하게 맑았다. 샌프란시스코로 떠나는 메가버스 터미널은 게티 센터와 그리피스 천문대 가는 방향과 반대 방향이었다. 좀 더 LA 시내로 들어오게 되었다. LA시청, 경찰청, 법원 등 관공서도 보이고 LA 레이커스 농구장도 나왔다. 아직 까지 완벽한 여행이었지만 하나 아쉬운 것은, 농구 경기를 못 본 것이다. 20년 전에 미국에 놀러 왔을 때 숙부랑 형님들이랑 다저스 야구경기를 보러간 적이 있다. 박찬호 선수가 완전 한창 일 때였다. 그때 완투승을 하고 스타디움이 엄청난 환호와 애국가로 가득했던 것이 기억난다. 메가버스 정류장은 시내버스의 종점이면서 지하철, 열차 등이 몰려있는 복잡한 곳에 간판이 없어 찾기가 어려웠다. 사람들도 잘 몰랐다. 근무 중인 경찰에게 물어보니 빙그레 웃으며 저 사람한테 물어보라고 했다. 알고 보니 한국계 미국인이었다. 친절히 샌프란시스코 행 버스가 있는 곳을 알려주었다. 바로 위였다. 일찍 출발하였다고 생각했지만 자칫하면 버스를 놓칠 뻔 했다. 메가 버스는 2층 버스였다. 메가라는 말이 어울리게 대형 버스였다. 2층 맨 앞은 자리가 넓고 앞에 대형 유리가 있어 시야가 넓다는 이유로 인기가 높아 미리 한국에서 예약을 해 둔 상태였다. 게다가 샌프란시스코 까지는 9시간 정도가 걸리므로 전경을 보고 가노라면 지루하지도 않았다. 듣기평가에서나 나올 법한 목소리의 기사님 출발 알림이 나왔다. 한국에 있을 때 캘리포니아에 산불이 났는데 한 달째 꺼지지 않고 어느 지역은 모든 주민들이 대피해 있다고 들은 적이 있었다. LA를 벗어나 위로 올라가자 그러한 산불 피해 흔적이 고스란히 보였다. 그리고 어찌나 바람이 센지 모든 차량이 천천히 가고 있었다. 우리와 비교되지 않을 정도의 대형 자연재해가 많이 생기는 미국의 위험성이 살짝 느껴졌다.

 조금 더 위로 올라가자 몇 시간을 달려도 도시가 안 나오고 광활한 대지와 평야가 나왔다. 정말 정말 넓었고 보이는 것은 목장과 농장뿐이었다. 전 세계 농작물의 1/4이 나는 곳이 바로 이 곳이란다. 내가 여기를 벗어나지만 언젠가 먹게 되는 오렌지나 소고기를 통해 이곳을 만나게 되겠지? 잠깐 눈을 붙이기도 하고 경치를 구경하기도 하고 가이드북을 보면서 시간을 보냈다. 어느덧 해가 지면서 오클랜드를 지나고 바다를 건너 드디어 샌프란시스코에 입성하였다. 들어올 때 큰 다리를 건넜는데 그때 만해도 그 다리가 금문교인 줄 알았지만 아니었다. 마지막 여행지이기도 하고 말로만 듣던 샌프란시스코를 와보니 가슴이 벅찼다. 샌디에이고와는 비교할 수 없는 대도시다움이 느껴졌다. 나는 미국방송을 재개하고 샌프란시스코 입성을 한국에 있는 지인들께 알렸다. 이번 나의 미국여행을 통해 미국을 꼭 오고 싶어 하는 지인들이 많아졌다. 나는 여행 막바지를 가고 있는데 이젠 며칠 후면 라오스로 떠나는 동기가 있었다. 채팅방에는 라오스와 미국얘기가 한가득했다. 그리고 동기들끼리 해외여행 한번 가자고 의견이 모아졌다. 그렇게 동기 해외여행이 결정되었고 어디로 갈지 얘기가 오갔다.

그렇게 그날은 샌프란시스코를 온다고 하루가 다 가 버렸다. 그래도 미국 서북부의 모습을 볼 수 있어서 좋았다.

우리가 묵게 될 다인실 방에는 아르헨티나에서 온 아저씨, 대만 여학생이 이미 있었다. 다음날 요세미티 국립공원 당일 투어가 새벽 5시 반에 출발하는 것이어서 간단한 소개를 나눈 후 우리는 일찍 잠자리에 들었다. 샌디에이고 호스텔보다 규모가 커서 여행자들도 많았고 소란스러웠다. 잠을 자는 둥 마는 둥 일찍 일어나 짐을 챙겨 픽업 장소인 하얏트 호텔로 갔다. 하지만 약속시간을 지나도 버스는 오지 않았고 속은 타들어갔다. 다른 쪽의 하얏트 호텔에서 만나는 것은 아닌지 걱정되었다. 이른 새벽이었지만 여행사에 전화를 하였더니 아직 도착 안했을 거라고 안심을 시키며 조금만 있어 보라고 하였다. 마침 내 앞에 인도 여자가 한명 나처럼 뭔가를 기다리고 있는 거 같아 요세미티 국립공원 투어가냐고 했더니 그렇다고 한다. 한결 마음이 놓였다. 조금 있으니 투어 버스가 도착하였다. 이른 새벽이었지만 여행자들로 만석이었다. 자리에 앉으니 헤드셋이 있었고 한국어를 지정하자 요세미티를 가는 여정 동안 버스가 지나가는 곳마다 한국어로 설명을 해주었다. 나는 잠을 설친 탓에 깊은 잠에 들고 말았다. 중간에 한 번 쉬고 버스는 2시간 정도를 달려 요세미티 국립공원에 도착하였다.

요세미티는 '죽이는 자들'이라는 뜻의 인디언 부족 이름이라고 한다. 이렇게 거대한 자연 속에서 살려면 이름처럼 용맹스러운 자들이 아니고서는 버텨내기가 어려웠을 거 같다. 이 공원의 면적은

3,026.87km2에 이르고, 1984년 유네스코 세계유산으로 지정되었으며 화강암 절벽, 폭포, 깨끗한 개울, 자이언트 세쿼이아 숲, 호수, 산맥, 목초지, 빙하, 생물 다양성으로약 95%가 자연 보호 구역이다. 많은 미국인들이 옐로스톤 국립공원과 더불어 가장 사랑하는 국립공원이라고 한다. 깊숙이 내부로 들어가자 저번에 캐년을 처음 보았을 때와 마찬가지로 사람들의 입에서 함성이 터져 나왔다. 아담과 이브가 살았던 태고적 신비로운 모습일 때, 지구로 들어가는 듯 했다.

잠시 후 마리포사 그로브 자이언트 세쿼이아 숲에 내려다 주었다. 상쾌한 아침공기와 함께 거대한 세쿼이아 숲으로 들어가자 하늘 높은 줄 모르고 뻗은 나무들이 빼곡하게 들어차있었다. 맑은 숲 공기가 내 안의 모든 찌꺼기들을 내몰아 버릴 거 같이 신선했다. 자연에 관심이 많으신 아버지는 한 발짝을 때기가 어려우신 모양이다. 기이한 형상을 한 나무들이 많았고 계곡의 물들은 위에 있는 빙하가 녹아서 찼다. 이번 미국인 가이드 맥스는 언제나 호탕한 웃음과 유머 감각과 밝은 목소리로 우리를 유쾌하게 해줬고 친절했다. 무엇보다 미남이었다. 때때로 한국에 대한 이야기를 나누기도 하였다. 맥스는 운전도 하고 헤드셋을 통해 설명도 해주었다. 무척 고되 보였지만 전혀 그런 기미가 보이지 않았다. 점심을 먹은 후 요세미티 국립공원의 백미인 하프 돔과 엘 캐피탄을 보았다. 정말 자연이 주는 아름다움은 그 무엇보다 고귀하고 위대해 보였다. 미국이지만 이런 자연은 소중히 아끼고 보존해야 한다는 마음이 굴뚝같이 들었다. 너무 너무 아름다웠다. 화강암 바위가 어찌

저렇게 우뚝 솟아오를 수 있었을까?

예전에 호주에서 보았던 '에어즈 락'하고는 또 다른 느낌이었다. 아무리 첨단 과학이 발달하였다지만 자연의 위대함을 따라가기에 아직도 우리 인간의 힘은 미약한지도 모르겠다. 서서히 해가 기울자 화강암 바위는 또 다른 색을 내뿜고 있었다. 천국이 있다면 이런 모습이 아닐까?

셔터를 누르면 모두 작품이 되고 있었다. 이곳 역시 하루만 보고 돌아가기가 너무 아쉬웠다. 그렇게 투어가 마무리 되고 맥스는 새벽에 탔던 하얏트 호텔로 우리를 데려다 주고 떠났다. 고단하였지만 매우 충만한 하루였다.

그렇게 이틀째 샌프란시스코 밤이 저물었다.

셋째 날이 밝았다. 오늘은 샌프란시스코 시내여행을 하기로 했다. 내일은 새벽버스를 타고 LA로 돌아가는 것이어서 이번 일정이 샌프란시스코의 마지막 일정이면서 이번 미국여행의 마지막 여정이기도 했다. 모레 아침에 한국행 비행기를 타야했기 때문이다.

 내 위에 침대에서 묵었던 아르헨티나 아저씨가 교통 패스권을 줬다. 3일 동안 모든 교통수단을 탈 수 있는 것인데 오늘 떠나야 해서 이걸로 오늘 하루를 이용할 수 있다고 한다. 아침부터 횡재였다. 호스텔에서 좀 더 걸어가니 바로 시내가 나왔다. 수많은 건물과 인파들이 보였고 바쁘게 학교로 가는 학생들이 예사롭지 않았다. 우리보다 등교시간이 무척 늦었고 아이들의 얼굴에는 행복함이 가득했다. 우리학교 학생들도 그럴까?

 부모님만 1일권 뮤니 패스포트를 산 후, 샌프란시스코 명물인 케이블카를 타보기로 했다. 종점에 도착하면 사람이 직접 케이블카를 돌려 방향을 바꾸는 것이 신선했다. 타보면 아무것도 아니고 오히려 불편하기만 하였지만 옛것을 지키고 이어져 내려오니 특별한 것이 된 것이다. 많은 사람들이 기다란 줄을 서서 기다리고 있었다. 안쪽에 자리를 앉기 보다는 차량 밖의 손잡이를 잡고 난간에 서서 타는 것이 묘미였다. 속도는 느렸지만 가파른 언덕을 오르내리며 느리게 여행하는 것이 재밌었다. 샌프란시스코는 우리나라의 부산 같았다. 바다가 옆에 보이고 바다 주위로 산과 언덕이 많았고 우리네 달동네처럼 그 위에 동네가 형성되어 있었다. 그리고 다리도 많았다. 가이드북을 들고 오늘 가볼만 한 것을 찾아보았다. 케이블카를 타고 지그재그 언덕길인 '롬바드 스트리트'에서 내렸다. 가이드 북 사진과 설명은 무척 아름다웠지만 막상 보니 막 그렇게 아름답지는 않았다. 겨울인지라 꽃들이 없어서일까?

높은 언덕을 내려오는 차들이 위험하지 않도록 Z모양의 길을 만들어 놓은 것이다. 차들은 그 길 위에서 사진 찍느라 정신없는 방문객들을 위해 경적도 울리지 않고 꽤나 오랫동안 기다려 주었다.

잠시 후 뒤에 오는 케이블카를 타고 피어39로 향했다. 그 곳은 영화 '더 록'의 촬영지로도 유명한 알카트래즈 섬과 샌프란시스코 앞 바다를 여행할 수 있는 페리여행이 가능한 곳이다. 피어39가 있는 시셔맨스 워프는 생기가 넘쳤다. 겨울이 이정도인데 여름이면 어떨까? 이름처럼 낚시와 보트 여행, 윈드서핑, 해물요리 식당 등이 가득했다. 우리는 오랜만에 긴 호흡으로 거리를 거닐며 경치를 구경했다. 이제 부두로 돌아온 한 보트에서 어부들이 새벽에 갓 잡은 킹크랩과 대게를 정리하고 있었다. 우리는 한참 구경을 하였다. 어머니가 빈말로 저거 우리 좀 싸게 살 수 없는지 물어보라고 하셨다. 밑져야 본전인 심산으로 얼마냐 물으니, 황당하다는 듯 웃었다. 두 마리에 50불 주고 가져가란다. 아직도 대게는 살아서 움직이고 싱싱함을 자랑하고 있었다. 어부들은 얼음을 듬뿍 넣어주고 자기들은 판 적이 한 번도 없어서 어떻게 담아야하는지 몰라 잘못 담았다고 미안해했다. 그들의 노력에 비하여 너무 작게 값을 지불한 것 같아 내가 더욱 미안했다. 저녁 만찬이 벌써 기대되었다. 건강한 그들의 웃음을 뒤로 하고, 크루저 여행지로 발길을 돌렸다.

크루저 여행은 생각보다 가격이 많이 비쌌다. 악명높은 '알카트래즈 형무소' 투어는 못하더라도 크루저를 통해서라도 보고 싶었기 때문이다. 발길을 돌려 다른 곳을 알아보는데 흑인 노인 한 분이 크루저 여행자를 찾는다고 연신 소리를 지르고 있었다. 일정은 똑같았다. 다만 다른 것은 배의 규모가 작은 것뿐이었다. 그런데 가격이 참 착했다. 우리 3명의 가격이 아까 크루저 여행의 1명 값과 같았다. 우리는 이 보트 투어를 이용하기로 했다. 좀 있으니 다른 여행객들도 올라타기 시작했다. 일찍 자리를 잡은 우리는 제일 앞자리에 탑승하였다. 옆에는 중국에서 온 내 또래의 남자가 탔다. 잠시 자리를 맡아달라기에 맡아주었더니 자기 점심을 사오면서 부모님과 내 것도 사오는 매너를 보여주었다. 건축가로 일하고 있는 그는 요즘 너무 일이 힘들고 스트레스가 심해 가족들과 함께 미국 여행을 오게 되었다고 한다. LA에 친구가 있어서 친구네 집에 신세를 지고 있다고 한다. 아내는 임신 중이어서 샌프란시스코는 혼자 여행 중이란다. 한국에서 교사생활을 하는 나에게 큰 관심을 보이며 한국의 학교생활에 대한 질문을 많이 하였다. 우리는 페이스북 아이디를 교환하고 기회가 되면 중국에서든 한국에서든 다시 재회를 하자고 했다.

보트 투어는 우리를 금문교 밑을 지나 알카트래즈 섬을 한 바퀴 돌며 한 시간 정도가 소요되었다. 오후가 되자 날씨가 따뜻해지니 부둣가에는 바다고래들이 나와서 수영도 하고 선탠을 하고 있었다.
 선장이 저것은 2달러짜리 투어라고 하면서 옆을 가리켰다. 한 남자가 조그만 보드에 올라타서 노를 저으며 바다로 나가고 있었다. 우리 모두는 박장대소를 지었다. 그 남자도 우리의 웃음소리를 들었는지 손을 흔들어 주었다. 남자의 용기와 기백이 대단해보였다.

드디어 샌프란시스코의 상징물인 금문교를 보러 갔다. 아까 보트 투어에서 보았지만 그 위용이 대단해 보였다. 피어39에서는 정반대에 있었다. 그리고 금문교는 샌프란시스코의 끝 쪽에 있으며 소살리토 라는 작은 마을을 연결해주고 있었다. 금문교 입구로 가자, 수많은 인파가 넘쳐났다. 금문교는 가까이에서만 봐도 웅장하였다. 길이가 2,825m, 너비가 27m라고 한다. 해면에서 70m 높이에 있어 배는 물론이고 비행기까지 통과가 가능하다고 한다.

1933년에 건설을 시작하여 4년 만에 완공을 했다고 하니 선진국 미국의 위상을 느낄 수 있었다. 다리위로는 수많은 인파와 함께 운동하는 사람들, 차량들이 넘나들고 있었다. 이 아름다운 다리는 자살하는 사람이 많기로도 악명이 높다고 한다. 아래를 보니 너무 아찔거렸는데 자살하는 사람들은 얼마나 고통스러웠으면 그런 아찔함까지 무릅쓰고 그런 선택을 했을까?

아래를 내려다보니 이 추운(한국에 비하면 아무것도 아니지만) 날씨에도 해변에서 윈드서핑을 즐기는 사람들이 많았다. 걸으면

30분 정도가 걸렸다. 부모님은 정말 대단하셨다. 이번 여행 중에 건강하시고 잘 드시니깐 엄청 수월했다. 건강에 대한 관심이 높으셔서 자기 관리가 철저하신 만큼 먼 타국에서도 컨디션이 좋으셨다. 반대쪽을 가니 석양이 조금씩 비추기 시작했다. 성조기가 펄럭이는 전망대에서 본 금문교와 바다는 너무나 잘 어울리는 한 쌍이었다. 저 멀리 태평양을 향해 나아가는 큰 항선이 금문교 밑을 지나가고 있었다. 닿을 듯 안 닿을 듯 살짝 빠져나갔다. 잠시 숨을 고르고 30분을 걸어 원래 위치로 돌아왔다. 오면서 많은 한국인 관광객들도 만났다. 한국의 위상도 높다는 것을 알 수 있는 이번 여행이었다. 어디를 가나 한국인들이 있었고, 한국인을 위한 가이드 북과 오디오가 구비되어 있었다.

많이 걸어서인지 배도 고프고 피곤하였다. 내일은 새벽 5시 첫차로 LA로 돌아가야 했다. 어서 숙소로 돌아가 낮에 샀던 대게 찜을 먹고 싶었다. 어머니는 어서 음식 준비를 하였고 나는 근처의 슈퍼마켓에 가서 라면과 맥주를 사왔다. 숙소 주방에는 우리의 요리에 모든 시선이 집중되어 있었다. 어머니의 요리는 일품이었다.
맥주 한잔을 부모님과 나눠 마시며 우리의 아름다웠던 미국 여행일정을 마무리 지었다. 충실한 가이드를 해준 나에게 부모님은 칭찬과 고마움을 전하셨고, 나는 다 부모님 덕이라는 덕담을 주고받았다.

이젠 모든 여행 일정이 끝이 났다. 걱정도 많았지만 잘 마무리가 된 거 같아 속이 후련했다.

〈 에필로그 〉

#황혼 육아 시대가 대세,
#황혼 육아는 축복. 손주 중심의 삶 행복해
#황혼 육아, 노부모 허리에 부담
#손주 육아 할마·할빠, 몸 고생·맘고생

작년 한 해 언론에 나왔던 황혼 육아 관련 내용들이다. 부모님의 도움을 받지 않고 혼자만의 힘으로 육아에 전념할 수 있는 사람이 과연 얼마나 될까? 미국으로 여행을 가는데 아내와 아이들을 데리고 가지 않고 부모님만 모시고 갔던 까닭은 바로 이 황혼육아 때문이었다. 작년에 나는 새 학교로 전입을 하고 아내는 2년의 육아 휴직을 끝내고 복직하였다. 돌도 안 지난 아기가 어린이집에 들어가니, 낯선 곳에서 적응하기도 힘들었을 테고, 면역력이 낮은 탓에 고열과 기침, 구토를 매번 반복하였다. 둘째는 기침을 달고 살았고 둘째의 바이러스는 첫째에게도 전달되어 아이들은 집 드나들 듯이 병원을 다녔다. 급기야 입원하는 일도 비일비재했다. 병원 진료 후

약만 받고 오는 날은 안도의 숨이 절로 나왔다. 오랜만의 복귀로 힘든 아내도 아이들의 병간호와 집안일로 스트레스가 극심해졌고 이 모든 화살은 아무런 도움이 되지 않는 나에게 돌아왔다.

퇴근 후 아이들이 입원해 있는 병실로 들어선 어느 날, 두 아이와 아내마저 모두 링거를 맞고 있던 진풍경을 본 순간 뒷골이 당겨오는 느낌을 받았다. 시어머니를 모시는 장모님께서 잠깐씩 오시기도 하셨지만 할 수 없이 동생네에서 조카들을 돌봐주시는 부모님께 부탁을 드리게 되었다. 부모님께서 우리집에 한 학기를 지내시고 그렇게 둘째는 어린이집을 나왔다.

그때부터 할아버지, 할머니의 건강한 손자 만들기 프로젝트는 시작되었다. 할머니는 최고의 요리사가 되어 영양과 사랑이 듬뿍 담긴 식사를 대접하였고 할아버지는 최고의 선생님과 친구가 되어서 놀아주셨다. 둘째는 그 이후로 몰라보게 살이 붙고 건강해졌으며 생기가 돌기 시작하였다. 더불어 집안에도 화기애애한 웃음과 행복이 번지면서 점차 우리 가족은 안정을 되찾았다. 아들을 위해 애써주시는 부모님의 사랑을 어떻게 갚을 수 있겠냐마는 방학을 이용하여 부모님 모시고 어디 여행이나 다녀오자고 아내와 입을 맞추었다. 어디를 갈까 고민이 많이 되었다. 우리 부부보다 훨씬 바쁘게 살아가는 동생의 가족을 위해 몇 해 전부터 서울로 올라가 조카들 양육을 하신 부모님은 동생네 식구들과 자주 동남아나 일본 등으로 여행을 다녀오시곤 하셨기 때문이다. 못 가본 곳으로 가면 좋겠단 생각을 하다가 아버지 4촌 형님이 미국에 계신 것이 기억에 났다.

사실 나는 97년 대학교 1학년 여름방학 때 미국에 그 분을 뵈러 갔었다. 하지만 아버지께서는 10살 정도 되셨을 때 그 분이 부산으로 가시게 되어서 헤어지신 이후로는 만난 적이 없으셨다가 최근에 문중제사에 참여하시러 한국에 오셨을 때 만나셨고, 그 자리에서 미국 당숙은 아버지께 꼭 미국에 한 번 오라고 신신당부를 하셨다고 한다. 그 후로 아버지는 기회가 되면 미국에 계신 형님을 꼭 만나보고 싶다고 말씀하신 것이 기억에 난 것이다. 마침 아내도 미국 LA에 사촌언니가 있어서 이번 기회에 가서 보고 싶다고 하여 겨울방학에 우리가족과 부모님의 미국여행이 계획되었다. 그 뒤로 우리의 마음은 뭉게구름을 타고 넘실넘실 태평양을 하루에도 몇 번씩을 넘어갔다 오곤 했다. 하지만 이번에도 둘째 아이가 마음에 걸렸다. 두 살배기가 12시간의 비행기를 탈 수 있을까?

　고민 끝에 아내는 아이들을 돌보며 남기로 했다. 기꺼이 남편을 부모님 여행을 위해 양보해주었다. 아내에게 미안하면서도 여간 고마운 게 아니었다. 겨울방학의 절반을 아내는 아이들을 돌보며 그렇게 독수공방을 하였다.

　처음 LA공항에 도착하여 미국 당숙을 보게 되었는데 딱 20년만의 조우였다. 97년에 헤어졌을 때 보다 많이 늙으셨음을 알 수 있었다. 벌써 85세이셨다. 이젠 운전도 못하셔서 큰 아들을 대동하고 나오셨다. 당숙은 아버지와 어머니는 아직 어색하신지 연신 나와 이야기를 주고받으시며 집으로 향했다. 자동차 부품공장을 운영하시며 크게 성공하셔 대저택에 사셨지만 이젠 두 노부부가 살기에 적당한 30평정도의 빌라에 살고 계셨다. 당숙모도 많이 늙으셨다. 한국에서 손님이 온다기에 갈비찜과 스테이크, 양주를 거하게 차리시고 우리를 맞이해주셨다. 거실에는 내가 묵을 침대, 안방에는 부모님이 묵을 수 있도록 자리를 마련해 주셨다. 내가 묘사하는 이 장면이 2017년 12월 30일 아침 10시였다. 12시간의 긴 여정이었지만 73세, 69세의 부모님도 무척 반가우셨는지 그 때부터 한국에서 싸간 김치와 젓갈, 오징어를 꺼내시고 잔치가 벌어졌다. 텔레비전에는 한국 드라마가 나오고 완전 한국의 보통 가정집과 다를 바가 없었다.

양주가 한잔 두잔 들어가면서 당숙, 당숙모, 부모님은 급속히 친밀해지셨고 시간은 50년, 60년 전의 아득한 곳으로 떠났다. 나를 두고... 그곳은 거제 연초. 내가 말로만 듣던 산자락, 동네, 언덕, 다리, 학교, 마을들이 들렸다. 그리고 제일 중요한 사람들.. 그 사람들 중에는 이미 세상을 떠나신 분도 있고 아직 계시지만 알고 있는 분도 있고, 모르는 분도 있었다. 마치 타임머신 타고 시간여행을 하는 듯 4명은 무릎을 치며 기뻐하시기도 하고, 짧은 외마디 탄식을 하시기도 하고, 노발대발 화를 내기도 하고 희노애락을 다 보여주셨다. 이런 모습은 우리가 여행을 갔다가 돌아와 저녁을 먹으면 매번 반복되었다. 미국에서 아버지는 이젠 73세가 아니었다. 옛날에 콧물 흘리며 형님을 따라다니던 5세 아이가 되었고 미국 당숙은 아버지를 그 때처럼 걱정하고 극진히 돌봐주셨다. 아버지는 여행을 떠나는 아침이면 멋지게 차려입고 항상 당숙께 "행님! 봐주이소"라고 말하면 당숙은 자연스럽게 "그래, 함 보자, 선글라스 이거 껴라"라든지, "모자가 삐뚤어졌네" 하셨다. 그리고 여러 가지 약을 담아서 밤에 먹으라고 챙겨주시곤 하셨다. 처음에는 이런 모습이 낯설었지만 4명에서 나를 이끄는 시간여행을 몇 번 다녀온 후에는 더 이상 낯설지가 않았다. 어느덧 나도 이들이 이끄는 시간여행의 열혈 애청자가 되어있었다.

　어느 날 밤에는 조그만 마을의 청년들과 아가씨들이 주연이 되어 뜨거운 사랑과 연애 이야기를 들려주셨는데 정말 영화와 같은 한편의 아름다운 로맨스였다. 그렇게 내 안에 잠자고 있던 연애 세포를 깨우게 해주더니 또 한날은 전쟁 리얼 액션을 보여 주었다. 당숙부는 가난을 이기기 위해 거제 미군부대에서 허드렛일을 해주며 용돈을 벌며 영어를 배웠고 부산으로 이동하는 미군부대를 따라 거제를 떠나게 되었다. 그리고 계속 미군부대에서 일하며 영어를 배웠고 후에 카추사 시험에 합격하여 베트남 전쟁에 미군부대 소속으로 참전하게 되었다고 한다. 숙부님은 이때의 추억을 자신의 인생사에서 최고의 한 장면으로 여기시는 듯 시험 때의 이야기를 아주 상세하게 기억하시며 자랑스럽게 들려주셨다.
　서울의 어느 은행 건물이 있는 2층이 면접 장소였는데, 면접 후 합격통보를 받고 산더미만한 서류를 한 손에 끌어안고 내려오는데 모든 사람이 부러운 시선으로 숙부를 쳐다봐서 어깨에 대단히 힘을 주었다고 한다. 그 후 숙부님은 꽤 재산도 모으게 됐고 미국으로 들어가는 계기가 되었다. 아버지 또한 베트남 맹호부대로 참전하셨는데 두 분은 이번에 그 사실을 처음 알고는 무척 안타까워 하셨다. 당숙이 그 사실을 진즉에 알았다면 아버지를 미군부대로 빼오거나 베트남에서 아버지를 만나러 갈 수도 있었다면서...

두 분이 들려주는 베트남 전쟁이야기와 6.25전쟁 이야기는 라이언 일병 구하기 영화에 비교해도 손색이 없을 만큼 박진감 넘치고 스릴 만점이었다. '누가 군대 이야기를 100% 믿겠냐' 마는 그때는 정말 사실 같았고 두 분이 대단해 보였고 애국자들이었다.

또 한날은 '휴먼 다큐 드라마'라고 명명해야 할까? 애잔한 우리의 인생사를 담담히 들려주셨다. 당숙부나 아버지가 겨우 겨우 버텨낸 그 힘든 시절, 내가 상상하고 이해할 수 있다고 한들 감히 근처라도 갈 수 있을까마는... 가난하고 고단한 일생이었지만 당당히 두 손과 두 발로 묵묵히 버텨낸 인생의 한 토막 한 토막을 눈물 반, 웃음 반으로 풀어내셨다. 나는 그들의 뜨거운 용기와 도전에 끝없는 응원과 박수를 보냈고 두 분이 내 혈육임에 너무나 가슴 벅차오름을 느꼈다.

영원할 거 같았던 우리의 미국 시간은 저물어 갔고 드디어 마지막 밤이 되었다. 3박 4일간의 샌프란시스코 일정을 끝내고 돌아오는 밤이었다. 원래 샌프란시스코에서 점심을 먹고 1시에 버스를 타서 LA에 밤9시에 도착하는 일정이었지만 아버지께서 일정을 수정하라고 하셨다. 좀 더 일찍 가서 당숙부, 당숙모님과의 마지막 밤을 뜨겁게 보내기 위해서였다. 마침 새벽5시 첫차가 있어서 그 버스를 타고 숙부댁에는 오후 3시경에 도착하였다. 이미 우리를 위한 만찬은 준비되어 있었다. 네 분은 너무 가까워지져서 서로 내 색은 안하지만 떠나는 것에 대한 서운함과 미안함이 계속 묻어나 왔다. 다시 만나자는 약속을 하며 여러 장 사진을 찍었다. 아버지 는 아쉬움에 연신 술을 들이키셨고 눈물을 쏟으셨다. 당숙부도 눈 물을 훔치시고 모두 슬픔의 바다가 되었다. 내 눈에도 눈물이 그렁 그렁 맺혔다. 누가 이들을 이토록 멀리 오랫동안 떨어뜨려놓았을 까? 이들은 또 예전처럼 만나서 다시 회포를 풀 수 있을까?

 이들의 간절함은 세월을 이겨낼 수 있을까? 내 가슴도 아파왔다.

난 또 어떻게 변해있을까? 난 얼마나 이들의 간절함을 기억하고 있을까? 안타까운 시간은 흘러만 가고 당숙은 위험하지만 동생네 가족이 떠나는 모습을 끝까지 보고자 우리를 LA 공항까지 손수 운 전을 하여 데려다 주셨다. 뜨거운 포옹을 한 후 쿨하게 돌아서 자 신의 까만색 메르세데스 벤츠를 움직였다. 언제나 멋진 모습, 예나 지금에나 시간여행에서 만났던 딱 그 모습이었다. 강단 있고 기백 이 넘치는 늠름함 그 자체였다.

아버지는 한동안 말이 없으셨고 피곤하다며 눈을 붙이셨지만 머릿 속으로는 찰라 와도 같았던 그간의 일들을 겹겹이 고이 접어 어느 곳에 묻어두었을 것이다. 나도 마찬가지였다. 잠이 오지 않았다. 당장 한국에 들어가면 만나게 되는 아내 그리고 이젠 내 몫이 될

양육, 개학, 학년 마무리 등등 하지만 그것보단 나 역시 이번 여행에 대한 소화가 필요했다. 어쨌든 기대 이상의 대성공이었다.

미국 여행도 멋졌지만 아버지의 소원 한 가지를 끝냈다는 것이 가장 큰 이유다.

거대한 대자연의 미국의 모습도 가슴에 남지만 그들이 가지고 있는 자유로움과 친절이 아직도 생생하다. 틀에 박혀 똑같은 모습을 하고 다니는 우리. 비슷한 색상의 자동차들, 비슷한 스타일의 의상, 조금만 다르면 내가 이상한 걸까? 튀는 걸 극도로 싫어하는 우리들에 비해 미국은 천태만상이었다. 헬스장 사우나에 운동화를 신고 오는 사람, 긴 운동복과 바지를 입고 오는 사람. 웃통을 벗고 바지만 입고 오는 사람. 청바지를 입고 오는 사람. 다 벗고 있는 사람. 양말을 신고 있는 사람.. 등등 하지만 그들은 서로에게 개의치 않고 자신의 일에만 열중할 뿐이다. 개인의 자유를 소중하게 여기고 다른 사람의 자유를 존중해주는 것일까? 그냥 지나갈 수 있지만 살짝 윙크를 해준다던지, 웃음을 보여주던 그들의 미소는 아직도 내 마음을 설레게 해준다. 난 샌프란시스코를 방문하였을 때 Pier 39에서 한 할아버지가 버스킹을 하며 스콧 멕킨지의 '샌프란시스코'를 부르는 것을 신나게 따라 부른 적이 있다. 그 후 그 노래를 다운받아 지금도 즐겨 듣곤 한다. 거기 나오는 가사가 바로 내가 이번 여행에서 느낀 미국의 모습이다.

나는 한국에 돌아와 다시 바쁜 일상을 살고 있다. 부모님도 마찬가지이다. 텃밭도 가꾸시지만 서울과 사천을 오가며 손주들을 돌봐주신다. 부모님은 그때의 미국 겨울에서 있었던 일을 잘 간직하고 계실까? 아버지는 카톡으로 당숙과 간간히 연락을 하신다고 한다. 미국 당숙과 당숙모께서 건강하셔서 한국으로 오시길 간절히 바래본다. 또한 우리 부모님의 건강도 간절히 바래본다.

마지막으로 여러분께 꿀팁을 하나 드리고자 한다. 지금 삶이 힘들고 스트레스가 쌓이고 있는가? 그날이 그날 같은 따분함의 연속인가? 뭔가 재밌는 일을 하고 싶지만 그게 무엇인지 모르겠다면, 여러분이 모르는 곳으로 당장 비행기 편을 예약해보기 바란다. 그리고 탑승자는 여러분이 생각하는 제일 고마운 사람과 함께...

정말 마지막으로 아내에게 고맙고 사랑한다는 말을 지면에서나마 하고 싶다. 신혼 이후로는 어느 순간 이끼가 낀 거같이 사랑하는 마음이 드러내 보이지 않았다. 하지만 언제나 내 마음의 1순위는 아내와 우리 가족임을 알아주었으면 한다. 나도 이끼를 걷어내는 그 어려운 작업(?)을 진행해 나갈 작정이다.